LA MAISON DE CLAUDINE

Colette dans Le Livre de Poche :

BELLA-VISTA *suivi de* TROIS... SIX... NEUF...
CHAMBRE D'HÔTEL
LA CHATTE
CHÉRI
EN PAYS CONNU
L'ENTRAVE
L'ÉTOILE VESPER
LE FANAL BLEU
GIGI
L'INGÉNUE LIBERTINE
LE KÉPI
LA MAISON DE CLAUDINE
MES APPRENTISSAGES
MITSOU
LA PAIX CHEZ LES BÊTES
PRISONS ET PARADIS
LE PUR ET L'IMPUR
LA SECONDE
SIDO *suivi de* LES VRILLES DE LA VIGNE
LA VAGABONDE
LE VOYAGE ÉGOÏSTE

Dans la collection « La Pochothèque »

ROMANS

Dans la collection « Libretti »

GRIBICHE
LA RONDE DES BÊTES
LES VRILLES DE LA VIGNE

Sous la signature « Colette et Willy »

CLAUDINE À L'ÉCOLE
CLAUDINE À PARIS
CLAUDINE S'EN VA

COLETTE
de l'Académie Goncourt

La Maison de Claudine

PRÉFACE DE NICOLE FERRIER-CAVERIVIÈRE
professeur à l'université de Paris IV-Sorbonne

HACHETTE

Préface

Colette, Claudine : deux prénoms que l'on assemble spontanément, deux vraies « twins » aux yeux du grand public. Le personnage de Claudine est imposé à Colette par son premier mari, Henry Gauthier-Villars, qu'elle épouse le 15 mai 1893 à l'âge de vingt ans. Dès l'année suivante en effet, il la force à écrire : « Vous devriez jeter sur le papier des souvenirs de l'école primaire. N'ayez pas peur des détails piquants, je pourrais peut-être en tirer quelque chose... Les fonds sont bas » (*Mes apprentissages*). De 1895-1896, date de la composition de *Claudine à l'école,* à 1907, lorsque paraît *La Retraite sentimentale,* Claudine existe dans chacun des ouvrages de Colette, fût-ce à travers un simple avatar dans *Minne* en 1904, ou *Les Egarements de Minne* en 1905. Quinze ans après *La Retraite sentimentale,* Claudine reparaît en 1922 dans le titre d'un des livres les plus beaux et les plus attachants de Colette : *La Maison de Claudine.* De l'un à l'autre ouvrage, que de bouleversements dans la vie de leur auteur : la séparation puis le divorce d'avec Willy, des amours féminines, une carrière de mime, un essai au théâtre comme dramaturge, la rencontre puis le mariage avec Henry de Jouvenel, la mort de Sido, la naissance de Colette de Jouvenel, la guerre, un travail de journaliste, et toujours l'obsession et l'obligation d'écrire.

Quand *La Maison de Claudine* vient en 1922 au bout de cette longue route, il paraît légitime de se demander si Colette ne renoue pas avec l'inspiration de ses œuvres des années 1900, et au-delà, en même temps, avec son enfance. En fait, ce livre ne représente d'aucune façon un retour en arrière, et c'est en vain qu'on chercherait à y retrouver le temps des *Claudine*. Colette sait que les trésors du passé « ne remonteront pas grâce à (elle) à la lumière », mais qu'elle peut y puiser une meilleure connaissance d'elle-même et les secrets d'une sagesse. Avec un goût stimulant de l'héroïsme, un sens très sûr de la perfection des mots et des phrases, de leur poésie et de leur musicalité, dans un mélange subtil du passé et du présent, l'auteur de *La Maison de Claudine* chante les joies et les maux de l'amour, la maternité, le mystère des êtres, la solitude, le calme de la mort, la gravité comme la pureté de la nature, les histoires de bêtes, le bonheur ancien d'une famille unie, le prestige de sa mère, la volupté de la sensation et la richesse de la fusion des sens qui nous entraîne vers les rives de l'imaginaire : leçons de beauté, leçons de vie.

Le temps des épreuves

Lorsque *La Maison de Claudine* paraît chez Ferenczi en 1922, Colette a quarante-neuf ans, et sa vie de femme, déjà lourde de nuages, ne voit venir ni l'apaisement ni la sérénité.

Après la rupture avec Willy en novembre 1906, elle vit conjugalement avec Henry de Jouvenel à partir d'octobre 1911; le mariage a lieu le 19 décembre 1912, et le 3 juillet 1913, dix mois à peine après la mort de Sido, naît leur fille, Colette de Jouvenel. Le bonheur pourrait être alors au rendez-vous : Colette est profondément éprise d'Henry de Jouvenel, homme séduisant, doué d' « un incontestable talent de parole et de plume » et d'une « rare puissance de persuasion » (*Dictionnaire des parlementaires français*). En outre, sa fille la ravit; elle laisse éclater sa joie et son admiration devant la « petite (...) bien tournée » (lettre à A. Rouveyre, 11 juillet 1913) dont elle aime tant contempler le « beau petit corps en caoutchouc » (lettre à H. Duvernois, été 1919). Pourtant, Colette semble vouée à ne connaître que le frôlement du bonheur : la déception et la déchirure la guettent à chaque croisée de chemins. Entre Henry de Jouvenel et elle-même, la mésentente éclatera en plein jour dans l'année 1923. Mais dès 1920 Germaine Patat est entrée dans la vie de l'homme politique, cet être fuyant – trop « beau », trop « charmant »! – qui partait si souvent « vers des rendez-vous amoureux », laissant Colette « consign(er), incorrigible, quelque chapitre dédié à l'amour, au regret de l'amour, un chapitre tout aveuglé d'amour » (*La Naissance du jour*). Ainsi, parvenue au seuil de la cinquantaine, Colette connaît à nouveau la douleur de la séparation, de l'abandon, de la solitude. Déjà, dans *La Vagabonde,* Renée Néré exprimait la blessure qu'avait laissée en l'écrivain sa séparation d'avec Willy : « Mon Dieu! que j'étais jeune, et que je l'aimais cet homme-là! et comme j'ai souffert! » Longtemps après, en 1954, lorsqu'il compose l'article nécrologique de Colette pour *La Bourgogne républicaine,* Edouard Herriot se souvient : « Je l'ai connue à l'époque de *La Vagabonde.* Comme elle était malheureuse! Mais quel courage, quelle fierté! C'est depuis ce temps que je l'ai si fort estimée » (*Lettres à ses pairs*). Certes, Colette n'est pas femme à se plaindre, à se désespérer ou à se laisser aller; certes, elle sait garder toujours courage et dignité, redresser la tête, dire sans cesse oui à la vie; douée d'une inflexible volonté, elle reste « exigeante pour elle-même et gaie jusque dans ses douleurs » (E. Herriot). L'échec de son second mariage ne l'en affecte pas moins; elle ressent vivement cette nouvelle épreuve, la déchirure est profonde et ne peut être tue. Plusieurs fois, au détour de quelques phrases de sa correspondance, lorsque, dans la douce confidence de l'amitié, Colette sait en une touche légère entrouvrir son cœur, on surprend sa douleur : « Vous êtes seule? C'est bien beau », écrit-elle à Lucie Delarue-Mardrus précisément en 1922. « Mais à présent que je ne suis plus jeune, j'ai peur de la solitude », ajoute-t-elle aussitôt. Un peu plus tard, à la fin de l'année 1923 ou au début de 1924, elle confie à Charles Saglio : « Je réagis (...) contre mon chagrin avec beaucoup d'âpreté. Mes amis (...) m'y aident. Les enfants aussi, les trois. » Au début de juillet 1924, au moment où elle vient d'apprendre la mort de Robert de Jouvenel, le frère d'Henry, c'est à son amie Marguerite Moreno qu'elle avoue jusqu'à sa tristesse de se sentir exclue de la famille de Jouvenel : « J'ai envoyé un mot que sans doute on n'ouvrira pas (...). J'ai envoyé un mot aussi à Zou, et je reste ici, puisque tous m'ont écartée d'eux. »

Même la durée ne parviendra pas à effacer le choc de cette rupture; elle apportera au contraire sa moisson d'épreuves toujours renouvelées, tel qu'en témoigne cet extrait d'une lettre à Marguerite Moreno d'août 1932 : « On m'a enlevé ma fille. Nous vivions en si bon accord, et d'une si bonne vie pour elle. Dépêche de Jouvenel et mandat télégraphique, et la petite a pris sa voiture et la route le lendemain matin à cinq heures : Renaud s'est recassé le genou, et Jouvenel, obligé de s'absenter, demande à la petite de venir prendre la garde auprès de ce frère étrangement friable. Je te jure que j'ai dit M... de bon cœur. C'est user de cet enfant bien légèrement. Si le jeune homme s'est recassé, qu'on lui offre une infirmière. »

« Recolle(r) », sans cesse « recolle(r) » : n'est-ce pas aux yeux de Colette « un métier de femme »? (*Lettres au Petit Corsaire*) Elle l'exerce patiemment et inlassablement; même l'étape des cinquante ans ne vient pas pour elle comme une halte. Alors – est-ce par dépit ? –, tandis que « Sidi » la délaisse, Colette s'attache à Bertrand, confié à elle par Claire Boas, la mère de ce dernier, en avril 1920, et amené par son père à Rozven dans l'été de 1920. « Quand vint un autre été – il s'agit de l'été 1921 – je me retrouvai à Rozven, écrit Bertrand lui-même, longtemps après, en 1982. Avec Colette. Et, après des hésitations, tout reprit et, désormais, nous étions liés. » Un peu plus tard, en 1984, Bertrand de Jouvenel reprend : « C'est en 1920 que je connus Colette. Elle me donna un exemplaire de *Chéri*, qui allait être son premier grand succès et lui donner la célébrité. »

Ainsi, bousculée par la vie, ballottée d'amour en amour, de liaison en rupture, Colette atteint les années 1920-1922 sans avoir cessé d'être vagabonde, sans avoir trouvé la stabilité. Depuis les *Claudine*, elle joue masquée, fuyante, étant tour à tour Claudine, Annie, Renée, Minne et ne collant toutefois jamais totalement à elles. Dame au « long miroir », elle a longtemps interrogé et fui en même temps sa « conseillère fardée qui (la) regard(ait), de l'autre côté de la glace » (*La Vagabonde*). Entre ces deux « moi », elle s'est cherchée, comme en témoignent avec force ses œuvres des années 1908-1910. Cependant, l'angoisse, le refus et finalement l'échec sont venus au bout de sa route.

Et pourtant, Colette sait ne pas s'arrêter : brisée mais volontaire, toujours elle construit de nouveaux départs : *La Maison de Claudine* est peut-être le plus mouvementé; il reste en tout cas le plus décisif.

A la recherche de soi

Beaucoup ont considéré *La Maison de Claudine* comme une œuvre rompant avec les précédentes qui se faisaient l'écho de la carrière de comédienne et de mime de l'écrivain. On y a lu une immersion totale dans le seul monde de la nature, l'apaisement enfin retrouvé d'une Colette qui redeviendrait l'enfant de Saint-Sauveur. Dans la *Nouvelle Revue française* du 1er septembre 1922, Paul Rival salue « la vraie Colette » qui « vient de se replonger dans sa jeunesse verte et pure », cette « Claudine sans vice (...), lasse enfin de Montmartre et des music-halls, des courtisanes flétries et des gigolos avides ». Le 21 octobre, dans les *Nouvelles littéraires,* Mireille Havet indique combien les lecteurs de *La Maison de Claudine* se sentent « pris par le cœur et par (leurs) souvenirs qui ressemblent » à ceux de l'auteur. Tantôt on loue la manière merveilleuse par laquelle Colette sait « communiquer la fraîcheur » de l'enfance[1], tantôt on trouve avec Paul Souday que « l'enfance est littérairement un sujet limité » et qu'en écrivant sur un tel thème « Madame Colette a voulu faire quelque chose de rien[2] ». En tout cas, nombreux sont ceux qui considèrent *La Maison de Claudine* comme une

1. J. Larnac, *Colette, sa vie, son œuvre.*
2. *Le Temps,* 22 juillet 1922.

véritable autobiographie : « tout est vrai dans ce beau livre », affirme J. Larnac; jusqu'à Robert Phelps et Michèle Sarde, les biographes de Colette se rapporteront à cet ouvrage pour y puiser les moindres détails. Colette elle-même n'avait-elle pas affirmé à F. Lefèvre en 1927 : « *La Maison de Claudine* est mon livre le plus véridique; celui où il y a le moins de transposition »?

La Maison de Claudine renvoie assurément à Saint-Sauveur dans certaines de ses pages, et les descriptions de la maison, du jardin, du village, de la campagne environnante, nous ramènent avec précision « sur les pas de Colette » (titre de l'ouvrage de M. Boivin). C'est sans surprise que le promeneur découvre encore aujourd'hui la « grande maison grave » que Colette présente dès le premier chapitre, « revêche avec sa porte à clochette d'orphelinat, son entrée cochère à gros verrou de geôle ancienne, maison qui ne souriait que d'un côté ». On la reconnaît sans peine, cette maison « grande, coiffée d'un grenier haut », dont la « roide pente de la rue bouscul(e) un peu (la) gravité » : voici « la façade principale, sur la rue de l'Hospice, (...) une façade à perron double, noircie, à grandes fenêtres et sans grâces ». Les jardins en revanche ont changé, mais l'écrivain Colette nous prend si précisément par la main qu'on parvient sans mal à retrouver le « Jardin-du-Haut » qui « commandait un Jardin-du-Bas, potager resserré et chaud, consacré à l'aubergine et au piment, où l'odeur du feuillage de la tomate se mêlait, en juillet, au parfum de l'abricot mûri sur les espaliers »; de même, à l'actuel treillis métallique, on substitue aisément la « grille de clôture, au fond, en bordure de la rue des Vignes, (...) tordue, arrachée au ciment de son mur, emportée et brandie en l'air par les bras invincibles d'une glycine centenaire » (« Où sont les enfants? »). Et de cette glycine, la force de fleurs toujours débordante et renouvelée, comble l'espoir que nourrissait Colette de la longue vie d'une telle despote (...) incoercible » (*Pour un herbier*). Autour de la maison et du jardin, s'étend le village avec ses rues, toutes reconnaissables, et ses habitants qui, des commerçants aux servantes, du curé au médecin et jusqu'au « préparateur de peaux de lapin » (« La Petite ») ou « Tatave, le fou que l'on disait inoffensif » (« Ma sœur aux longs cheveux »), font revivre toutes les professions et classes sociales du bourg poyaudin. E. Charleux-Leroux, qui, avec M. Boivin, a établi un répertoire des « Personnages de Montigny et habitants de Saint-Sauveur » (*Cahiers Colette*), constate que c'est dans *La Maison de Claudine* que les personnages de Saint-Sauveur sont les plus nombreux, « près de soixante-dix en moins de soixante pages »; en outre, « pour la première fois, ils sont évoqués comme ils le seront dans les œuvres suivantes, sans mépris ni malveillance, parfois avec une discrète sympathie ». Enfin, le lecteur les rencontre souvent non comme des utilités mais comme des êtres nettement personnalisés : ici vient Mme Bruneau de son « petit pas à talons », « petite femme boulotte et molle, aux tempes déjà grises », si lointaine en songeant à sa vie sans amour (« Papa et Madame Bruneau »); là se dresse Adrienne Septmance, la femme de chambre des Colette, « qui a un amoureux », « chante, bouscule son travail »; elle sent « ce parfum commun, qu'on achète (...) chez le coupeur de cheveux » et « qui fait penser à l'urine sucrée des chevaux, séchant sur les routes » (« La Noce »). Autour du village, au rythme de la victoria du capitaine Colette et de la jument noire, on découvre les bois de la Puisaye qui sentent bon la « truffe fraîche » et la « feuille macérée », les haies qui abritent la « prunelle bleue »; on entre dans les salles d'école avec leurs « bancs usés » et la « triste odeur d'enfants sales » (« Propagande »), on aperçoit les étangs, les taillis, les « prés gorgés d'eau », la « haute digitale de juillet au fond des bois (...) rougis de flaques de bruyère » (« Où sont les enfants? »)

Toutefois, cette large irruption du passé ne peut nous entraîner à conclure que Colette tourne soudain le dos à sa carrière et à ses œuvres précédentes pour se consacrer au récit de son enfance. *La Maison de Claudine* n'est ni l'expression d'un refuge ni celle d'un retour. Comme nous l'avons indiqué précédemment, cette œuvre se situe à un moment décisif de la vie de l'écrivain, moment particulièrement douloureux où le chemin du bonheur familial vient de se fermer définitivement devant elle. Elle connaît maintenant à la fois « les périls de la solitude et ceux de la vie à deux », qu'elle rappelle à Marguerite Moreno; elle sait que son existence ne cesse pas d'être celle d'une vagabonde, que les joies et la sérénité d'un foyer ne lui seront pas données. « Amour, amour abrité, foyer » : ces mots qu'elle écrit dans *L'Entrave*, disent les clefs d'un bonheur que sa vie de femme ne lui a jamais procuré et qu'elle appelle parfois, comme malgré elle, presque à son insu. Comment oublier le cri poignant qu'elle laisse jaillir dans *Les Vrilles de la vigne*? « Je veux chérir qui m'aime et lui donner tout ce qui est à moi dans le monde : mon corps rebelle au partage, mon cœur si doux et ma liberté! » Or elle sent qu'elle reste vouée à cette liberté qu'elle est tantôt prête à donner comme le prouve l'affirmation précédemment citée, tantôt décidée à préserver comme elle le déclare en 1910 à un journaliste de *Paris Théâtre* en la nommant son « seul luxe », mais dont elle sait en tout cas que la solitude est l'inévitable compagne. Et Colette supporte mal l'isolement; c'est pourquoi le désarroi dans lequel la laisse la séparation d'avec Henry de Jouvenel la contraint à chercher une véritable identité. Balayée par tant de vents contraires, elle a besoin de se trouver enfin, de briser le miroir, de n'être plus ni Claudine, ni Renée, ni une autre, mais elle-même vraiment. Or Colette a des racines profondes, celles de son enfance. C'est à cet âge, c'est à ce moment de son existence qu'elle a été particulièrement heureuse, qu'elle a connu le bonheur qu'elle a perdu ensuite et qu'elle sait maintenant inaccessible : celui d'être entourée par une famille, de se sentir aimée par elle et de se donner à elle, d'être libre en même temps que protégée, indépendante certes, mais au sein d'un monde clos et bienveillant. *La Maison de Claudine* s'ouvre d'ailleurs sur le chapitre « Où sont les enfants? », qui fait vivre, indissolublement mêlés, la maison, le jardin, la mère et les enfants. La quête de la mère et la « turbulence étrange » des enfants ne débouchent ni sur le vide ni sur l'absurde; l'amour est là, plus fort que le silence, plus fort que la mort : « S'il est un lieu où l'on attend après la vie, celle qui nous attendit tremble encore, à cause des deux vivants. » On a beaucoup parlé du personnage de Sido et de son importance dans *La Maison de Claudine;* nous y reviendrons plus loin. Mais la création de Sido est un aboutissement, et dans le premier chapitre du livre, on n'a pas assez prêté attention au fait que la mère est présentée dans un ensemble qui est la « famille », dans un environnement qui est celui de la maison, du jardin, des bois, taillis, prés et étangs voisins. Et ce sont tous ces éléments qui forment l'univers clos dans lequel la Petite, sa sœur et ses frères puisent à la fois un amour absolu, une protection sans faille et l'infinie saveur du silence, du mystère, d'une indépendance naturellement balisée. Avant même d'ailleurs de faire apparaître sa mère, Colette évoque le « logis, chaud et plein », et songe au « temps où cette maison et ce jardin abritaient une famille ». La nature elle-même est comme le prolongement de la chaleur familiale : ce pays n'est-il pas « sans dangers » (*Sido*)? C'est alors que Colette se sent la « reine de la terre ». « A ne devenir après tout qu'une femme », loin de ce paradis enfantin, elle sait qu'elle ne peut plus posséder le « bel orgueil » d'autrefois, « la secrète certitude d'être une enfant précieuse, de sentir en (elle) une âme extraordinaire (...) à faire éclater son petit corps ». Et elle affirme à son sosie Claudine, de l'autre côté du miroir : « solide, la voix rude, deux tresses trop serrées qui sifflaient autour de moi comme des mèches de fouet; les mains roussies, griffées, marquées de cicatrices, un front carré de garçon (...) Ah! que vous m'auriez aimée, quand j'avais douze ans »; puis elle ajoute aussitôt : « et comme je me regrette ».

Triste mais réaliste, Colette ne cherche pas à abolir le temps et à fuir le présent pour ne plus vivre que dans les rêves passés : « Je me souviens de moi avec une netteté, une mélancolie qui ne m'abusent point », écrit-elle à nouveau dans *Les Vrilles de la vigne*. Elle n'est pas Léo qu'un « très étrange et efficace abîme (...) a toujours séparé de la vie réelle et de tous » (*Lettres à ses pairs*), ce « sauvage » qui à treize ans entraînait la Petite dans le monde des épitaphes et des cimetières, et que Sido appelait « pauvre, pauvre Léo », s'étonnant toujours : « Je ne comprends pas que l'on soit si mou et si peu initiatif que Léo quand on est le fils de sa mère et frère de toi et d'Achille », écrivait-elle à Minet chéri (*Lettres à sa fille*). Les personnages qui ont choisi le rêve contre le réel sont d'ailleurs décrits par Colette dans *La Maison de Claudine* comme des ratés : ici c'est la petite Bouilloux, là il s'agit de Voussard, le « loyal compagnon d'Ybanez ». Et comment ne pas songer à Juliette, la « sœur aux longs cheveux », murée dans son univers de lecture, toujours « enchantée » et « absente »? Colette utilise les faits passés comme autant de matériaux à travers lesquels elle va, non pas se perdre comme Léo, mais se retrouver, c'est-à-dire se construire. Par la magie de l'art, elle recrée son passé, et ne le répète ni ne le décrit. Elle y choisit ce qui correspond à ce qu'elle se sent être, à ce qu'elle aime, à ce qu'elle désire dans le présent. Elle y puise les éléments qui lui permettent de se prolonger à partir de l'enfant de Saint-Sauveur, solide et éclatante de joie de vivre. D'ailleurs, lorsqu'elle insère un « bout de manuscrit » qui parle de son enfance dans un exemplaire de l'édition de 1927 de *La Maison de Claudine*, qu'elle envoie à son amie Germaine Patat, elle précise : « Prenez-le, je ne le veux pas dans d'autres mains. Ma fille le lira chez vous, ou bien vous le lui donnerez quand le temps sera venu pour elle *de me chercher* » (c'est moi qui souligne).

Il n'y a donc pas deux Colette, celle de *La Vagabonde* et celle de *La Maison de Claudine*, celle de la vie parisienne et celle de Saint-Sauveur. Il n'y a qu'une Colette qui a grandi et qui s'est façonnée peu à peu en se heurtant aux écueils de l'existence, avec toujours ce « même cœur obscur et pudique, (ce) même goût passionné pour tout ce qui respire à l'air libre et loin de l'homme – arbre, fleur, animal peureux et doux, eau furtive des sources inutiles –, (cette) même gravité vite muée en exaltation sans cause », qui lui fait dire : « Tout cela, c'est moi enfant et moi à présent » (*Les Vrilles de la vigne*). Ainsi, la femme éprouvée des années 1920-1922 suit patiemment le chemin difficile de la connaissance de soi et de la conquête de son moi, en construisant sa personnalité à partir des éléments de son enfance qu'elle considère comme les plus forts et décisifs pour la femme qu'elle est devenue, et qu'elle évoque en continuité et en relation étroite avec le présent. « Nous serions tous bien pauvres sans nos souvenirs d'enfance », écrit-elle à Mme Wattine : ces souvenirs valent en tant que révélateurs de la richesse que l'on porte en soi et de la personnalité que l'on s'est forgée au fil du temps. Evoquant Colette au moment de la naissance de leur liaison, juste avant la création de *La Maison de Claudine,* Bertrand de Jouvenel montre assez bien que les retrouvailles avec Saint-Sauveur représentent en effet alors pour elle non une fantaisie, non une manie d'auteur en quête de matière, mais la rencontre avec une partie d'elle-même, le seul moyen de rassembler enfin tant de miettes éparses d'une personnalité qui, grâce ensuite à la création littéraire, trouvera sa profonde unité : « Colette me parlait de son enfance, écrit-il, et je lui demandai pourquoi elle ne me faisait pas connaître ce qu'elle avait aimé. Et, à l'automne, nous allâmes à Saint-Sauveur-en-Puisaye, le pays de son enfance. Je crois que j'ai dû, par mon insistance, à ce qu'elle écrivît son livre : *La Maison de Claudine,* en 1922. » Ou encore : « Colette me parlait sans cesse de sa mère, de la maison de son enfance. Elle adhérait à l'une et à l'autre de toutes ses fibres. Nous allâmes à Saint-Sauveur. Ce voyage fut décisif. »

De Claudine à Sido

La reprise, dans le titre du livre, du prénom bien connu de Claudine, est seulement le fait d'une opportunité commerciale que nul n'ignore plus. Le personnage de Claudine a cessé d'exister littérairement parlant avec *La Retraite sentimentale,* Colette a réglé ses comptes avec Claudine dans *Les Vrilles de la vigne,* en marquant les grandes différences qui existent entre son personnage et elle-même. La voici par exemple qui s'adresse à celle qui se disait encore son sosie : « N'avez-vous point assez de ce malentendu qui nous accole l'une à l'autre, qui nous reflète l'une dans l'autre, qui nous masque l'une par l'autre? Vous êtes Claudine et je suis Colette. Nos visages, jumeaux, ont joué à cache-cache assez longtemps. » Dans le livre de 1922, seul le titre d'ailleurs laisse apparaître le prénom de Claudine, et c'est le nom de Colette qui est cité tantôt à propos du capitaine, tantôt à propos de Colette elle-même, signe subtil d'une identité retrouvée.

Pourtant, là encore, des *Claudine* à *La Maison de Claudine,* il ne convient pas de parler de rupture, mais d'évolution, d'approfondissement de soi; changements et différences doivent être perçus et interprétés à travers la longue progression de l'œuvre même de Colette, que Thierry Maulnier appelle « la loi (de son) développement » (*Introduction à Colette*). Dès les premiers romans, la présence du passé s'impose, et la jeune Claudine ne peut taire l'amour qu'elle porte à son pays : « J'ai vécu dans ces bois dix années de vagabondages éperdus, de conquêtes et de découvertes; le jour où il me faudra les quitter j'aurai un gros chagrin » (*Claudine à l'école*). C'est là que toujours elle revient pour panser ses blessures, pour refaire ses forces : « Je ne retournerai pas à Paris. Vous m'avez confiée au pays que j'aime, venez donc m'y retrouver, m'y garder, m'y aimer », écrit-elle à Renaud. Devant « sa » maison d'autrefois, son cœur se serre : voici « le perron à double escalier et à rampe de fer noirci », et « l'anneau de cuivre usé où (elle se) pendai(t) pour sonner, au retour de l'école ». Le jardin surgit lui aussi, merveilleux antidote, avec son « gros noyer », son « grand rosier cuisse-de-nymphe », sa « glycine puissante »

(*Claudine en ménage*). Dans *Claudine à Paris,* « la grande maison et le cher jardin de Montigny » se trouvent associés pour la première fois. Mais le jardin de l'école et celui de l'Institution Rivoire occupent une place décisive, qui laisse souvent au second plan celui de la maison. Quant à la famille de l'héroïne, elle ne renvoie qu'à un père qui « ne voit rien », ne s'occupe pas de sa fille, est « tout à ses travaux » et à son « extravagance », ou à une mère lointaine qui est évoquée tantôt comme une hypothèse – « si j'avais une maman », déclare Claudine dans *Claudine à l'école* –, tantôt comme « une femme bien désagréable » (*Claudine à Paris*). Enfin, à chaque fois, la résurrection du passé revêt un caractère strictement sentimental : mélodie nostalgique, elle reste détachée du présent de l'écrivain, n'agit pas sur lui, et répond au désir de revivre le temps perdu : « Toute ma journée s'écoule à chercher, pas à pas, miette à miette, mon enfance éparse aux coins de la vieille maison », avoue Claudine (*Claudine en ménage*).

Les *Claudine* achevés, l'évocation de l'enfance ne cesse de hanter Colette, et elle en émaille ses articles publiés au fil des années dans *La Vie parisienne, Paris Théâtre, Akademos,* et dans *Le Matin* sous la rubrique des *Contes des mille et un matins,* à laquelle Colette collabore du 2 décembre 1910 à l'année 1923, et qui, à partir du 30 octobre 1913, aura pour sous-titre « Journal de Colette » : « Jour gris » en 1907, « Rêverie de Nouvel An », « Une Lettre », « Le Passé » ou « Les Sabots » en 1909, « Dimanche » ou « Réveillons » en 1911 en sont quelques exemples. Tous seront repris soit dans *Les Vrilles de la vigne,* soit dans *Paysages et portraits, La Vagabonde, Dans la foule, Le Voyage égoïste.* A travers eux, le rôle du passé s'est déjà modifié : face aux épreuves sentimentales et à l'expérience de la solitude, la résurgence du passé a pris le sens de ce que Thierry Maulnier appelle « la recherche de l'équilibre humain ». Colette a beau ne plus craindre « les vrilles de la vigne », elle se sait vulnérable et ne connaît plus « le somme heureux ». Que vienne alors le nouvel an, la voici « assise en face de (sa) solitude, en face d('elle)-même », contrainte de reconnaître : « Ce jour de l'An parisien ne me rappelle rien des premier janvier de ma jeunesse; et qui pourrait me rendre la solennité puérile des jours de l'An d'autrefois? La forme des années a changé pour moi – durant que, moi, je changeais. » Elle revoit l'« enfant très aimée (qu'elle était), entre des parents pas riches, et qui vivait à la campagne parmi des arbres et des livres », mais c'est pour ajouter : « Ah! qu'il y a longtemps! ... » Et quand elle se prend à retrouver, au point qu'elle pourrait le peindre sur son visage de femme, « celui d'une fraîche enfant roussie de soleil, rosie de froid », elle réalise qu'« hélas, ce n'est qu'un instant ». Le temps flétrit, détruit, sépare irrémédiablement; « il faut vieillir » : Colette n'ignore rien de cette loi de la vie; pourtant elle ne se révolte pas, comme elle n'essaie pas davantage de fuir vers le royaume des songes. Elle répète « cette parole non comme un cri de désespoir, mais comme le rappel d'un départ nécessaire »; elle est prête à rechercher l'apaisement. Dans cette perspective, le souvenir du pays de son enfance prend une valeur dynamique particulière : il ne s'agit plus de vouloir faire renaître le paradis perdu : « Je t'ai parlé sans doute d'un pays de merveilles, où la saveur de l'air enivre?... Ne le crois pas. N'y va pas : tu le chercherais en vain. Tu ne verrais qu'une campagne un peu triste, qu'assombrissent les forêts, un village paisible et pauvre, une vallée humide, une montagne bleuâtre et nue qui ne nourrit pas même les chèvres... » Avec une vigueur jamais encore atteinte, Colette éprouve au plus profond d'elle-même le véritable sens de son passé comme étant le fondement de son être : « Je regrette, aujourd'hui, quelqu'un qui me posséda avant tous, avant toi, avant que je fusse une femme. J'appartiens à un pays que j'ai quitté » (*Les Vrilles de la vigne*).

L'auteur des *Claudine* compose alors de petits ouvrages « tour à tour romanesques, tendres, émouvants, fantastiques, populaires, (qui) n'offensent aucune pudeur et peuvent être lus par tout le monde », pour reprendre les termes par lesquels la direction du *Matin* présente les *Contes des mille et un matins*. Or, les récits de *La Maison de Claudine* correspondent à cette définition. C'est pourquoi la tentation était grande d'imaginer que certains éléments au moins de *La Maison de Claudine* remontaient aux années 1910 qui voient la collaboration de Colette au *Matin*. En outre, une lettre de Sido du 30 décembre 1911, publiée dans *Le Figaro littéraire* du 24 janvier 1953, renforçait cette intuition : « Minet chéri, Reçu tout! Reçu trop! Et aussi ta lettre, et l'article. (...) Il m'a beaucoup plu. Je vois, chère, que la vieille maison et son jardin te hantent. Cela me plaît et aussi m'attriste. Je vois toujours ta gracieuse petite forme s'y promener, rêvant à mille choses. (...) Que tout cela est loin. Oui, tu étais mon soleil d'or. » En fait, un examen précis de la date, du contenu et de la forme de cette lettre, a permis de comprendre qu'elle renvoie aux articles « Dimanche » et « Réveillons » parus dans *Le Matin* des 30 novembre et 28 décembre 1911; le premier sera repris en 1920 dans *La Chambre éclairée*, le second en 1918 dans le recueil *Dans la foule*. Ensemble ils figureront en 1922 dans *Le Voyage égoïste*, mais ils ne seront pas intégrés dans *La Maison de Claudine*. « L'interlocuteur anonyme, le ton fiévreux seraient de trop », explique Maurice Delcroix[1]. La passion souvent mal contenue, en effet, avec laquelle Colette fait revivre ses souvenirs, prouve que celle-ci n'a pas encore pris assez de distance par rapport à la montée d'un passé qui s'impose à elle plus qu'elle ne le maîtrise, ne le guide, ne le recrée en relation avec les exigences du présent. « Le miroir provincial » qui surgit de ce passé lui représente pêle-mêle le « salon fané », la « pendule de marbre blanc », la « grande table »; « il y a aussi le thé de Chine », il y a les « chiens courants », il y a « le chaud désordre d'une maison humaine » (« Réveillons ») : les détails, les images se pressent, et l'écrivain ne cherche pas à les ordonner tant elle ressent la primauté de l'émotion, tant elle est prise par les lieux et les objets d'autrefois, et... presque prisonnière encore de cette « maison ancienne » qui « contient tant de merveilles » et où « tout est tutélaire » (« Dimanche »). Pourtant, comme le fait remarquer Maurice Delcroix, « quelque chose de 1911 a passé dans le texte de 1922 » : « Il y a par terre, un, deux, trois chiens courants, qu'on écrase un peu, comme des tapis », lit-on dans « Réveillons »; « ces logis sans fleurs (...) où l'on n'écrase pas, devant la cheminée, un coin du chien traînant comme un tapis, (...) je les quittai avec des sens affamés », découvre-t-on dans le chapitre de *La Maison de Claudine* « Ma mère et les bêtes ». L'ouvrage de 1922 reprend également d'autres éléments anecdotiques que l'on pouvait lire dans des écrits antérieurs. Dans « Une Lettre », nouvelle parue dans *La Vie parisienne* du 14 août 1909, la mère de la narratrice s'adresse à son mari en ces termes : « Tu n'es même pas mon parent »; de même, dans le chapitre « L'Enlèvement » de *La Maison de Claudine*, Sido déclare au capitaine :

1. « Notice », édition de La Pléiade, II.

« Car, enfin, toi, qu'est-ce que tu es pour moi ? Tu n'es même pas mon parent. » Dans le premier texte, le mari est « un homme (que la jeune fille) ne connaît seulement pas », dans le second c'est « un monsieur qu'elle connaît à peine ». De même, dans *Le Matin* du 6 octobre 1911, on lit « Ouvrages de dames », dont le sujet ressurgira avec « La Couseuse » dans *La Maison de Claudine*. Enfin, deux fragments manuscrits découverts par Claude Pichois et joints par Colette à des exemplaires de *La Maison de Claudine* qu'elle offrait à des amis, complètent la genèse de cette œuvre. Ils nous font découvrir une petite fille montant dans le noyer, sur la grille, sur le mur du jardin, se cachant, se dérobant à la « jolie voix de femme, aiguë et douce » de sa mère. « Elle s'appelle Sidonie comme sa mère » qui l'a surnommée Bel-Gazou « dans le temps où elle a commencé à croire que sa fille passait en mérite le soleil, la lune, les dieux et les héros fabuleux ». Et pour la première fois Sido est décrite : la voici, « petite dame toute ronde (...), vêtue de blanc », apparaissant « sur la terrasse et appel(ant), la tête levée vers les hirondelles : Bel-Gazou ! ». Composés après les articles déjà cités, ces deux fragments dont le premier est daté par Colette elle-même « sauf erreur, de 1912 » (Lettre à Germaine Patat), confirment le besoin de l'écrivain de rédiger ce qu'elle appelait déjà en 1909 le « roman d'une enfance » : « Je cherchais alors à tirer de mon enfance véritable un petit roman d'enfant, c'est de là qu'est venu tout le volume de *La Maison de Claudine*. » Certes, ni l'un ni l'autre de ces fragments ne seront reproduits dans l'ouvrage de 1922. Toutefois, que d'évocations y surgissent comme en écho, à travers les chapitres « Où sont les enfants ? », « La Petite », « L'Enlèvement », « Le Curé sur le mur », placés d'ailleurs au début du livre ! Enfin, *Le Matin* du 7 mars 1912 publie une première version de « La Petite », dont l'examen prouve à quel point Colette s'en est inspirée pour rédiger le chapitre de *La Maison de Claudine.* « Les petites viennent de partir » : ainsi commence le texte de 1912. « Elles viennent de partir, les compagnes de jeu de la Petite », lit-on dans le chapitre de 1922. Et Colette de décrire en 1912 « les fillettes du village bourguignon » avec leurs « joues marbrées de petites ivrognesses », leurs cris, leurs « rires lourds », tandis que Bel-Gazou, « haletante et enrouée » comme ses amies, « ouvre pour crier une grande bouche où brillent des incisives neuves, (...) écarquille les yeux et remonte la peau de son front, ensuite soupire un grand " pouh ! " de fatigue et s'essuie le nez d'un revers de main ». *La Maison de Claudine* nous fait retrouver ces enfants avec leurs « pommettes et (leurs) yeux de fillettes qu'on a saoulées », leurs « moquerie(s) lourde(s) », leurs « cris de possédées », et l'on revoit Minet chéri qui « ouvre, pour un dernier cri, une grande bouche aux incisives neuves, (...) écarquille les yeux, remonte la peau de son front, souffle " pouh ! " de fatigue et s'essuie le nez d'un revers de main ». A l'un et l'autre moment, Colette évoque les jeux des enfants, en particulier celui de « qu'est-ce qu'on sera », et les textes se terminent sur le retour de Bel-Gazou vers la maison.

Les deux versions présentent ainsi de frappantes ressemblances, tant dans l'expression que dans la progression du récit. Cependant, jamais aucune phrase n'est reprise exactement dans sa forme initiale; chaque fois, Colette réécrit, refait, recompose. Enfin, si dans « Les Petites » Bel-Gazou retrouve, avec « la maison – la lampe – la chambre chaude –, deux visages qui vont s'éclairer, sourire et gronder : " Ah ! te voilà enfin ! "... », dans « La Petite », seule la mère paraît, vers laquelle jardin, maison, village convergent, et du rayonnement de laquelle tout prend vie : Minet chéri revient vers cette « main qu'un dé brillant coiffait », cette « main bien-aimée, coiffée d'un dé d'argent ».

En 1922, la mère de Minet chéri n'est pas tout à fait « Sido ». Ce nom tabou et presque magique n'apparaît en effet que dans la seconde nouvelle du recueil « Le Sauvage », et dans la vingt-troisième « Ma mère et la morale »; dans toutes les autres, Colette utilise l'expression « ma mère ». Ne nous a-t-elle pas appris qu'« il faut du temps à l'absent pour prendre sa vraie forme en nous » (*Sido*)? Il faudra attendre 1928 pour que l'on puisse lire dans *La Naissance du jour*, inscrit au bas de la lettre du « cactus rose », le nom de « Sidonie Colette, née Landoy ». Colette qui intuitivement se reconnaît en Sido, cherche encore un moment, inquiète : « Maintenant que je me défais peu à peu et que dans le miroir peu à peu je lui ressemble, je doute que, revenant, elle me reconnaisse pour sa fille, malgré la ressemblance de nos traits... » Mais Sido répond en une magnifique prosopopée : « En interrogeant ton visage, ma fille, je le reconnais. Je le reconnais à ta fièvre, à ton attente, au dévouement de tes mains ouvertes, au battement de ton cœur et au cri que tu retiens, au jour levant qui t'entoure, oui, je reconnais, je revendique tout cela. » Et c'est l'année suivante avec *Sido ou les Points cardinaux* qui paraît chez Kra, puis en 1930 avec *Sido*, que la mère de Minet chéri, « celle qu'un seul être au monde – (le capitaine) – nommait Sido », devient un personnage et acquiert l'ampleur du mythe.

Dans cette vigoureuse progression vers la connaissance de soi, *La Maison de Claudine* constitue sans doute l'étape la plus décisive; car c'est avec ce volume que le personnage de la mère, en conquérant pour la première fois une place privilégiée, disjoint enfin Colette et son double, et donne un sens et un ordre à la pensée de l'auteur. Si, comme nous l'avons indiqué précédemment, l'écart entre Colette et Claudine s'est creusé depuis *La Retraite sentimentale,* la véritable libération de la première par rapport à la seconde ne se réalise que dans l'ouvrage de 1922 où la référence à Claudine n'obéit plus qu'à une logique littéraire. C'est à partir de ce livre et avec lui qu'ayant cessé de se chercher dans un dialogue entre elle-même et l'un de ses doubles, Colette se retrouve à travers un passé que sa mère domine, rassemble et incarne tout entier. Elle sait que le « secret peu banal » de sa « félicité » d'enfant tient dans « la présence de celle qui, au lieu de trouver dans la mort un chemin pour s'éloigner, se fait mieux connaître à mesure qu'(elle) vieilli(t)[1] ». Ce prestige de Sido, qui s'impose et grandit à partir de *La Maison de Claudine,* Bertrand de Jouvenel l'a ressenti et exprimé sans ambiguïté. Rappelant le voyage qu'il fit à Saint-Sauveur avec Colette pendant l'automne 1921, et qui fut déterminant à ses yeux pour la création du volume de 1922, il précise : « Le personnage de Sido marquera d'un sceau étincelant la meilleure partie de son œuvre future. » Colette ne s'y est pas trompée non plus, qui écrit : « Laissant et reprenant, sous leur forme de nouvelles brèves, *La Maison de Claudine* puis *Sido,* je n'ai pas quitté un personnage qui peu à peu, s'est imposé à tout le reste de mon œuvre : celui de ma mère[2]. »

Mais de quelle Sido exactement s'agit-il? Du réel à l'irréel, la transition est aisée, et l'imaginaire est

1. « Préface » à *La Maison de Claudine* et *Sido,* éditions du Fleuron.
2. *Ibid.*

un acte magique qui permet l'appropriation. A travers Sido, Colette recherche de son passé ce qui lui appartient toujours, ce qui l'explique elle-même, ce qui l'aide enfin non seulement à vivre dans le présent mais à se dépasser. Sido n'est donc ni simplement ni totalement « Sidonie Landoy épouse Colette »; elle n'est plus la vraie mère; à la limite, elle n'est plus Sidonie Landoy. Les sentiments que Colette portait à sa mère vivante étaient d'ailleurs « ambigus », comme le rappelle Claude Pichois[1]. Les lettres de Sido en sont un témoignage souvent poignant : la mère écrit plusieurs fois par semaine à son « bijou chéri » dont elle espère souvent des nouvelles avec trop de lenteur à son gré. Colette répond irrégulièrement, et ses visites se font attendre : « Quand te verrai-je? Ecris-moi (...) je suis si vieille, si vieille... Je te vois si rarement » (11 février 1911). « Si je ne te vois plus j'aime autant mourir. Tu ne trouves rien à me dire... si ce n'est tes bêtes » (3 juin 1911). Et le 23 mai 1912 : « Je ne te vois pas assez souvent pour ce qu'il me reste à vivre. Vois comme M. de Jouvenel est mieux partagé que moi! Et cependant, il n'a eu qu'à paraître! » Sido s'éteindra le 25 septembre, et deux jours après, dans une lettre à Léon Hamel, Colette s'exprimera en une phrase étonnante qui prouve combien le plus important pour elle n'est pas la relation directe et simple d'une visite chaleureuse, de messages réguliers où l'on se livre pour l'autre et en fonction de son attente; au contraire, ce qui compte à ses yeux est l'écriture, c'est-à-dire une certaine mise en forme de soi-même, présentation voire création de soi, qui préserve à la fois le recul, la pudeur et la liberté. Voici cette phrase significative, à mon sens, du démon – et du génie – créateur de Colette : « Je

1. « Préface », édition de La Pléiade, II.

suis tourmentée de cette idée stupide que je ne pourrai plus écrire à maman comme je le faisais si souvent » (*Lettres de la Vagabonde*).

Orchestrant donc pour la première fois le thème de Sido, l'écrivain Colette recrée sa mère aux couleurs mêlées du réel et de l'idéal, du souvenir et de la quête de soi. Ce personnage résulte ainsi, pour reprendre les termes de Claude Pichois, « d'une idéalisation de la mère par la fille et de Colette par elle-même. Il ne serait pas faux de prétendre – tous autres traits étant d'ailleurs dissemblables ! – que Colette procède comme Rodrigue, qui projette devant lui l'image du Cid. Colette projette son image devant elle en y incorporant celle de Sido[1] ». L'épigraphe de *La Naissance du jour* nous donne la clef de Sido telle que Colette commence à la façonner dans *La Maison de Claudine :* « Imaginez-vous, à me lire, que je fais mon portrait ? Patience : c'est seulement mon modèle. » Et comme l'indique encore Claude Pichois : « Ce modèle est la création même de Colette. Amour filial ? non. Amour de soi-même » (Pléiade). Colette s'engage sur un chemin qui la conduira jusqu'au mythe de Sido, et qui, ce faisant, ne l'aide pas seulement à retrouver les sources de la Puisaye, mais, en même temps et au-delà, lui ouvre les portes d'un monde où la stabilité remplace le vagabondage, où la fidélité à soi-même vient panser les blessures. Dans cette tension vers une sorte d'excellence et de coïncidence parfaite avec soi, il y a de la part de Colette une forme d'héroïsme que Claude Pichois met en relief par la comparaison Colette-Rodrigue, que nul n'avait esquissée avant lui, et qui, présentée comme il le fait, éclaire l'écrivain d'une lumière particulièrement bien

1. « Préface » à *La Naissance du jour*, édition Garnier/Flammarion.

adaptée. D'ailleurs, un ami de Colette, Claude Farrère, avait perçu cette dimension de la personnalité de l'écrivain; dans une lettre inédite (19 janvier, sans année, mais probablement 1941), il lui avoue : « Sais-tu à qui je te compare irrésistiblement, en vous lisant tous deux alternativement? Au Corneille. Le Corneille du *Cid* et de *Nicomède*. Et pourquoi? Parce que vous vous touchez par un point intime : le goût, la manie de l'héroïsme[1]. »

Quête pathétique et dépassement énergique de soi, poids d'une expérience indissociable d'un élan toujours renouvelé, *La Maison de Claudine* puise au plus profond des joies, des angoisses et des luttes de Colette. Nous sommes loin, très loin d'un recueil de souvenirs, d'une accumulation de petits faits vrais qui nous livreraient le passé tel qu'il fut réellement. D'ailleurs, le volume mêle subtilement le présent au passé : « La Merveille », « Bâ-Tou », « Bellaude », « Les deux chattes », « Chats », renvoient au cadre parisien de Colette, Auteuil, le Bois de Boulogne, le XVIe arrondissement; « Le Veilleur » se passe en Corrèze, à Castel-Novel, propriété de la famille de Jouvenel. Les trois derniers chapitres font revivre Colette devenue mère et sa fille Bel-Gazou, non Sido et Minet chéri. Quant aux nouvelles « Le Rire », « Ma mère et le fruit défendu », « Ma mère et la maladie », elles renvoient à Châtillon-Coligny, non à Saint-Sauveur. Enfin, au fil des pages qui ont pour cadre la Puisaye, que de fois la narratrice intervient personnellement, faisant toucher du doigt les ravages du temps, la fragilité des êtres et des choses! La première évocation de la mère est ainsi placée dans cette perspective visionnaire : Sido apparaît, « ronde et petite », et l'écrivain de transformer aussitôt la

1. © Tous droits réservés pour cette citation de Claude Farrère.

description en destin par cette notation : « en ce temps où l'âge ne l'avait pas encore décharnée ».

En outre, il serait aisé de relever plus d'une erreur de chronologie, et autres libertés prises avec la vérité historique. Des exemples empruntés à un seul chapitre en diront sans doute assez : en présentant « Le Sauvage », Jules Joseph Robineau, le premier mari de Sido, Colette date de 1853 le moment où ce dernier « enleva (Sidonie Landoy) à sa famille », et elle précise que la jeune fille avait alors dix-huit ans; en réalité c'est en 1857 qu'eut lieu le mariage du « Sauvage » et de Sido, et celle-ci avait vingt-deux ans. Un peu plus loin, les parents de Jules Robineau sont désignés comme ayant été « gentilshommes verriers », alors qu'ils ne furent ni gentilshommes ni verriers mais propriétaires terriens. De même, ce n'est pas une lavandière mais une chambrière que Jules Robineau avait prise pour concubine vers la fin de 1838, et qui lui avait donné un garçon en 1843. Colette ne cherche pas à fixer en son texte la réalité historique, et il est risqué d'établir une « Autobiographie tirée des œuvres de Colette » (R. Phelps). La vérité de l'ouvrage est ailleurs : celle de l'être de Colette, non de l'histoire; « mes biographes que je renseigne peu »..., écrit-elle pour nous éviter de faire fausse route (*Sido*).

Destiné à tant d'approfondissement de soi, un volume comme *La Maison de Claudine* peut-il être laissé au hasard de l'inspiration et à celui de l'écriture?

« *Un désordre de trompeuse apparence*[1] »

Que de fois a-t-on pensé que Colette ne savait pas composer! Il faut avouer qu'elle donnait bien à

1. *Le Fanal bleu.*

le croire. A un « jeune homme chargé d'enquête » venu l'interroger sur ses projets, elle affirme : « Oh! non, je ne saurais rien vous dire de ma méthode de travail... », et quand il est parti, elle se prend à songer : « il avait l'air de trouver tout naturel que j'eusse une méthode de travail, et même que je voulusse la tenir secrète. Il en a sûrement une, lui... J'aurais dû l'interviewer... » (*L'Etoile Vesper*). Mais « Colette n'est jamais tout entière là où nous croyons la trouver » (Thierry Maulnier), et son apparente désinvolture s'accommode mal du besoin qu'elle ressentait « de ne pas être prise de court », de toujours « être exacte, être prête, être en règle (...). Je ne suis capable de fantaisie que dans l'ordre, ou plutôt dans le classement », confie-t-elle encore dans *L'Etoile Vesper*. *La Maison de Claudine* qui vise à tant de profondeur dans la recherche de soi, telle que nous l'avons évoquée, n'échappe pas à une architecture choisie.

La première des nouvelles qui composeront le livre paraît dans *Le Matin* du 15 octobre 1921; il s'agit de « Ybanez est mort ». En huit mois, jusqu'au 24 juin 1922, les autres se succèdent et forment les trente chapitres de l'édition originale qui paraîtra chez Ferenczi. L'ordre de succession des préoriginales montre que Colette n'a pas d'emblée réalisé l'importance de Sido. Les deux premières nouvelles en effet mettent en scène des personnages secondaires, marginaux par rapport à Saint-Sauveur : Voussard, et la petite Bouilloux (22 octobre 1921). C'est seulement dans la troisième (29 octobre 1921), « Amour », que la grande figure de Sido conquiert une place décisive, qui se confirme dans la sixième « Ma mère et les bêtes » (novembre 1921) et qui s'affirme à la fin lorsque sur les sept dernières des trente qui feront l'originale, quatre la présentent dans leur titre et six lui confèrent le rôle principal. Les placards de l'originale, dédicacés à Bertrand de Jouvenel le 18 juin 1922, placent en tête « Où sont les enfants? » parue en préoriginale au quatorzième rang : telle l'ouverture d'une symphonie, cette nouvelle donne le ton du volume. Sido s'y impose, inquiète et tutélaire dans sa quête passionnée des enfants, transcendant le temps; Minet chéri et Colette y paraissent tour à tour, brouillant ainsi la chronologie et rendant sensible l'œuvre cruelle des ans à laquelle l'écrivain oppose d'emblée l'énergie de la création. Les autres nouvelles sont groupées en fonction des sujets traités. Dans l'édition originale, les dix dernières nouvelles sont placées dans un ordre différent de celui des placards : le volume ne s'achève plus sur la vision de Sido, et plus précisément d'une Sido au « temps où ses forces l'abandonnèrent »; les chapitres consacrés à la mère à la fin des préoriginales, sont regroupés à la suite de « Ma mère et le curé »; l'édition originale se clôt sur les histoires de bêtes. En 1923, une nouvelle édition supprime ces dernières et introduit cinq nouvelles : deux – « La Toutouque » et « Le Manteau de Spahi » – prennent place au milieu du livre et s'intègrent dans un ensemble qui étudie les formes de l'amour; les trois autres qui mettent en scène Bel-Gazou, la fille de Colette, se situent à la fin, comme la chronologie l'implique. L'édition définitive de 1930 réintroduit les histoires de bêtes, entre l'ensemble réservé à la mère et celui consacré à Bel-Gazou qui se trouve naturellement appelé par « Le Veilleur ».

Cette rapide évocation des éditions successives de *La Maison de Claudine* laisse percevoir le soin avec lequel Colette s'applique à façonner son ouvrage, ses hésitations, sa volonté de finir non sur l'image de sa mère vieillissante au « corps déjà à demi enchaîné par la mort », mais sur celle de l'enfant, de l'ouverture à la vie et à l'imagination.

Elle dit le goût de Colette pour « l'ouvrage achevé », que salue Maurice Goudeket. « C'est surtout quand elle terminait un livre, écrit-il, que la contention devenait telle, qu'on avait l'impression qu'elle donnait sa substance, comme l'abeille le miel. Capable alors de travailler huit ou dix heures d'affilée, elle ressemblait enfin à un cocon. Qu'elle le voulût ou non, elle n'était pas loin à ce moment d'une sorte d'état second » (*Près de Colette*) : la beauté toute poétique de la dernière phrase de *La Maison de Claudine*, aide à mieux comprendre encore la justesse d'une telle affirmation. Colette elle-même, en 1923, dans une lettre à Marguerite Moreno, témoigne de l'effort extrême qu'elle apporte à l'achèvement de ses livres; c'est à propos du *Blé en herbe* qu'elle affirme à son amie : « La dernière page, exactement, m'a coûté toute ma première journée de Castel-Novel, et je te défie bien, en la lisant, de t'en douter. »

Ne nous laissons pas abuser par l'impression d'aisance et de transparence que laisse la lecture de chaque page de Colette. Celle-ci s'étonne même de sa difficulté à écrire : « C'est curieux ce dégoût du travail, quand c'est un travail cérébral », écrit-elle à Louis Barthou en 1929. Et à Marguerite Moreno, en 1923, elle n'hésite pas à avouer : « Le travail empoisonne ma vie. » Ses amis n'ignoraient pas cette lutte permanente qu'exigeait d'elle la création littéraire; André Dunoyer de Segonzac, par exemple, raconte comment Colette se faisait « volontairement prisonnière » pour écrire, tant cette tâche réclamait d'elle efforts et recueillement : « Avant de se mettre au travail, elle avait comme un besoin de temporiser : un peu comme si Claudine cherchait à prolonger la récréation (...). Puis, tout à coup, et résolument, (...) ses beaux bras puissants s'arc-boutaient sur l'écritoire. Elle demeurait là comme figée dans une immobilité qui durait plusieurs heures. » Et André Dunoyer de Segonzac d'ajouter : « Cette très grande artiste semble préférer la nature et la vie à la littérature. » La rédaction de *La Maison de Claudine* ne fait pas exception. Dans une lettre à Francis Carco, en 1922, Colette laisse entrevoir un peu de son combat : « Je travaille comme une folle, et j'en mourrai peut-être ! Le travail n'est pas mon climat. Mais j'ai presque 8 nouvelles de faites. Pour le *Matin* d'abord, pour Ferenczi ensuite. » Ainsi, au-delà de la composition générale de l'ouvrage, c'est la structure de chaque nouvelle, ce sont les phrases, les rythmes, voire les silences et les sous-entendus qui sont longuement réfléchis. Colette ne se laisse pas aller à une imagination folle et débridée; même la « débauche d'invention » est chez elle contrôlée, et c'est « lentement (qu'elle) décharge (ses) trésors sur la feuille vierge ». Colette, gourmande, aime les mots : l'un « suffit à recréer l'odeur, la couleur des heures vécues, il est sonore et plein et mystérieux comme une coquille où chante la mer » (*La Vagabonde*), un autre est tout musique, un autre encore se laisse amoureusement caresser. « Presbytère » renvoie au premier; il est un « mot mystérieux, comme brodé d'un relief rêche en son commencement, achevé en une longue et rêveuse syllabe »; héros de la nouvelle « Le curé sur le mur », il bondit et rebondit au fil des pages, se gonflant chaque fois d'un peu plus de mystère et d'imaginaire, dévoilant l'univers de la Petite au rythme de ses métamorphoses : le voici qui « sonn(e) en anathème »; puis, « perd(ant) de son venin », il devient « le nom scientifique du petit escargot rayé jaune et noir », tandis que Minet chéri, bientôt déçue d'apprendre à appeler « les choses par leur nom », ne se résout pas pour autant à perdre son « beau mot ». « Bel-Gazou » et « Kamaralzaman » ne sont, eux, que mélodie.

Enfin, il suffit qu'au bas d'une gravure ancienne surgisse « L'Enlèvement », pour que la « songerie, innocente, (de Colette) caress(e) le mot et l'image ». On n'en finirait pas de relever tantôt les termes choisis où les sens jouent un rôle premier et par lesquels l'écrivain, « déesse des saisons », fait « naître sous nos pas la richesse de l'univers physique » (Thierry Maulnier), tantôt ceux qui se creusent pour mieux épouser les méandres d'une âme complexe qui cherche à fixer les contradictions de l'amour, le temps étrange du mariage, l'acte primitif et instinctif de la maternité, le calme de la mort, la solitude, la gravité, la pureté qui se rattachent à la nature et au pays natal, la simplicité d'une morale qui tient dans le seul « Regarde » de Sido. Mais qu'ils disent la sensation et la volupté ou qu'ils ouvrent des chemins plus intérieurs, les mots de Colette restent fidèles au réel; l'imagination et le lyrisme de l'auteur ne prennent forme qu'à partir de lui. Ainsi la nouvelle « Amour » commence par une scène du quotidien où le portrait même de la mère apparaît comme une simple épure, où les images valent par une précision extrême. Le réel est perçu et présenté à partir des différentes sensations : ce sont, dans la boucherie de Léonore, les « poumons de bœuf gonflés que le courant d'air irise et balance, roses comme la pulpe du bégonia, (qui) plaisent (à la Petite) à l'égal d'une confiserie », ou encore, « dans le jardin de la boucherie, (c'est) Marie Tricotet, qui (...) s'amuse (...) à percer d'une épingle des vessies de porc ou de veau non vidées, qu'elle presse sous le pied " pour faire jet d'eau " »; c'est encore le détail sonore qui présente le capitaine : « ce rythme de deux bâtons et d'un seul pied ». L'acte d'incantation ne jaillit pas d'une plongée subite dans l'imaginaire, ni du reniement du réel; il s'élève, à partir de celui-ci, d'une série de répétitions de termes et de formules, de la reprise des références au rythme des pas, des variations sur le thème de l'âge et du vieillissement. L'ensemble de ces procédés montre la trace d'un bouleversement intérieur qui culmine dans le trait final : la notation de la « férocité de l'amour » anime, entre le passé et le présent de l'auteur, un jeu subtil qui ressuscite l'émotion ancienne puis la transforme en émotion du présent. Au lieu de ciselures et de guirlandes, la poésie d'une évocation naît du rythme des phrases, de leur savante et mélodieuse ordonnance, de la lutte patiente contre la période qui « s'assouplit (et) s'assoit en rond comme une bête apprivoisée » (*La Vagabonde*) : ainsi, à partir de la flamme qui brille dans la maison maternelle, et de la main de Sido, les phrases de Colette s'allongent, s'enchaînent, se propagent comme des ondes, enfermant tour à tour les images de la mère et de l'enfant, et venant mourir sur la douceur d'« une main bien-aimée, coiffée d'un dé d'argent » : reprise de l'expression « une main qu'un dé brillant coiffait », mais anoblie jusqu'à la poésie d'un alexandrin, la fin de la nouvelle se hausse vers le sacré, loin de toute grandiloquence.

Son sens de la musique se manifeste dans ces frontières de la parole que sont le chant et le silence : non seulement toujours l'écrivain rythme sa pensée, mais souvent elle s'arrête, elle se tait. Tels dialogues interrompus, ou questions sans réponse, tels points de suspension, tels sous-entendus, suggèrent la dimension tragique de l'œuvre de Colette. Même le paradis de l'enfance est traversé par de lourds silences, signes de l'échec des relations humaines, de l'isolement des êtres, du vain effort du couple Sido-le capitaine à communiquer, de l'incompréhension entre les générations. Le silence volontaire, celui que l'on oppose aux fruits défendus, engage le problème de la vie et de ses troubles, celui de la mort, de la maladie et du vieillissement : la pudique Colette laisse entrevoir le mystère vital. Le silence est pour elle un signe de pureté et de liberté, non de résignation; il est la marque d'une réelle noblesse, et possède une valeur esthétique certaine. Humaine et classique Colette, l'auteur de *La Maison de Claudine* jamais ne bavarde, ne se livre à de fantaisistes développements, ne tombe dans le libertinage : rigoureuse et mesurée, elle touche aux problèmes éternels de l'homme avec à la fois délicatesse et lucidité.

La fortune de la « Maison de Sido »

Tant de richesses ramassées dans de courts récits ne pouvaient qu'être inlassablement reprises. La forme brève, celle des nouvelles, leur assure de figurer dans les recueils d'anthologies. Colette aide elle-même au morcellement de son volume : en 1931, les *Histoires de Bel-Gazou* regroupent cinq nouvelles de *La Maison de Claudine;* toujours en 1931, six nouvelles sont publiées dans *Les plus belles pages de Colette;* en 1950, des extraits du livre de 1922 sont repris dans *Chats*. Quant à la description du grand-duc sur laquelle se termine « Le Veilleur », elle prend place dès 1925 dans les pages de Colette qu'allègue P. Reboux dans *Colette ou le génie du style,* et elle clôt en 1951 le numéro spécial du *Point* consacré à Colette.

Le titre de l'ouvrage appelait des reprises et des variations qui n'ont pas manqué. Dans sa notice de l'œuvre pour la Bibliothèque de la Pléiade, Maurice Delcroix les rappelle : en 1924, Maurice Martin du Gard affirme que « le grand honneur du *Matin* sera d'avoir été la maison de Claudine » (*Impertinences*); sous une photographie appartenant à une collection particulière et représentant Colette, Henry de Jouvenel et Bel-Gazou à Varetz en Corrèze, on lit : « La Maison de Colette ». Claude Pichois a même retrouvé chez Flammarion un contrat passé en 1942, stipulant la composition par Colette d'un texte qui avait pour nom *La Maison de Colette.* Enfin, l'édition des lettres de Sido à sa fille laisse voir une carte postale représentant la façade sur la rue de l'Hospice avec la mention, en haut à droite, écrite de la main de Colette : « La Maison de " Sido ". »

Vers « un chant imaginaire[1] *»*

« Ressusciter ce que je fus!... Quelle femme n'a espéré le miracle? » (« Le Passé ») Colette qui formule ce vœu en 1909 sait déjà parfaitement qu'un tel rêve est irréalisable : « Le roman d'une enfance... Je voudrais l'écrire, mais je crains, en l'essayant, d'échouer », ajoute-t-elle en effet. En 1922, *La Maison de Claudine* ne cherche pas même à donner le change : la campagne poyaudine y apparaît comme « une campagne pour citadines » (Thierry Maulnier), véritable antidote aux blessures de la vie sociale, à l'artifice du monde urbain, de ses « cubes sans jardins », de ses « logis sans fleurs », de ses « appartements privés d'esprits familiers » (« Ma mère et les bêtes »). Paris reste présent, soit directement dans « Mode de Paris » ou dans les cinq nouvelles qui, à la fin du volume, narrent les histoires de bêtes, soit indirectement par les interventions de l'auteur devenue vagabonde parisienne depuis longtemps, depuis son mariage avec Willy – non sans fierté ni fascination d'ailleurs.

En outre, au-delà de Saint-Sauveur, et plus qu'à son village natal, Colette s'attache aux valeurs qui se rapportent à son enfance : la solitude et le

1. « La Noisette creuse ».

bonheur, la liberté – celle qu'« on ne (...) refusait pas » aux enfants de Sido –, le silence – celui de la Petite qui suivait dans les bois « le grand pas des garçons », ou celui du jardin –, la gravité – celle de la maison de Saint-Sauveur –, la pureté – celle que Sido préserve avec férocité autour de ses enfants, celle que l'« adolescence hypocrite et aventureuse » fera oublier, et que flétrira le mariage. C'est par rapport à l'émergence de ces valeurs que Colette d'une part écrit ou plutôt réécrit le réel en ne restituant du monde de la Puisaye que l'essentiel, et d'autre part mêle au récit de son enfance recréée celui de l'enfance de sa propre fille, qu'elle présente en visionnaire. Saint-Sauveur, Châtillon-Coligny, Varetz, Paris... qu'importe le lieu, qu'importe le moment. Seule compte pour Colette écrivain l'histoire d'une enfant, qu'elle déchiffre et façonne à son gré pour faire jaillir sous sa plume un univers émerveillé. Et c'est dans la noblesse et la beauté de ce monde qu'elle puise de nouvelles raisons de « repartir » : car il n'est pour elle « de départ que vers le soleil. Il n'est de voyage qu'au-devant d'une lumière accrue » (à Léon-Paul Fargue, *Lettres à ses pairs*). Ici la Petite, là Bel-Gazou : de l'une à l'autre, court la même Colette, éprise de vie, soucieuse de fixer les forces et la pureté originelles. Elle ne cherche pas à tout saisir, à tout raconter; elle sait que l'écriture reste un choix : « dire la vérité, oui, mais toute la vérité, on ne peut pas, on ne doit pas », affirme-t-elle dans *La Vagabonde.* Elle élit donc les détails qui lui permettent de recréer l'univers magique et féerique dans lequel elle retrouve « le secret perdu qui ouvrait (...) un monde dont (elle a) cessé d'être digne » (« Où sont les enfants? »). Pure et impure tout ensemble, elle se connaît et se reconnaît dans l'équilibre des valeurs d'autrefois mêlées à celles du présent. Amour de son enfance, amour de l'enfance, amour de la nature et des bêtes? Nous apporterons la même réponse que Claude Pichois à la question : « Amour filial? » : « Non. Amour de soi-même. »

« Les mythes sont les âmes de nos actions et de nos amours. Nous ne pouvons agir qu'en nous mouvant vers un fantôme. Nous ne pouvons aimer que ce que nous créons » (Valéry, *Petite lettre sur les mythes*) : *La Maison de Claudine* en reste un témoignage aussi brillant qu'émouvant.

Nicole FERRIER-CAVERIVIÈRE.

Notice bibliographique

Œuvres complètes

Editions du Fleuron, Flammarion, 1949-1950, t. VII, 1949 (le t. XV présente une bibliographie relative aux ouvrages de Colette et aux études sur la vie et l'œuvre de l'écrivain).

Edition du Centenaire, Flammarion, 1973.

Collection Bouquins, R. Laffont, t. 2, 1989.

Œuvres, II, « Bibliothèque de la Pléiade », 1986.

La Maison de Claudine

Ferenczi, 1922, 30 textes tous inédits.

Ferenczi, coll. « Le Livre moderne illustré », n° 2, 1923, 29 textes dont 5 inédits.

Edition définitive, Ferenczi, 1930, 35 textes, aucun inédit (textes de 1922 + les 5 inédits de 1923).

Flammarion, coll. « Select-collection », 1938.

Ferenczi, coll. « Pourpre », 1955.

Hachette, coll. « Le Livre de Poche », 1984.

Correspondance

Lettres à Hélène Picard, texte établi et annoté par Claude Pichois, Flammarion, 1958.

Lettres à Marguerite Moreno, texte établi et annoté par Claude Pichois, Flammarion, 1959.

Lettres de la Vagabonde, texte établi et annoté par Claude Pichois et Roberte Forbin, Flammarion, 1961.

Lettres au Petit Corsaire, texte établi et annoté par Claude Pichois et Roberte Forbin, Préface de Maurice Goudeket, Flammarion, 1963.

Lettres à ses pairs, texte établi et annoté par Claude Pichois et Roberte Forbin, Flammarion, 1973.

Sido, *Lettres à sa fille*, précédé de « Lettres inédites de Colette ». Préface de B. de Jouvenel, J. Malige et M. Sarde, éd. des Femmes, 1984.

Ouvrages critiques

BOIVIN, M., « Sur les pas de Colette à Saint-Sauveur-en-Puisaye », Association du Château de Saint-Sauveur, 1986.

CARCO, F., *Colette « mon ami »*, éd. Rive-Gauche, 1955.

CHAUVIÈRE, C., *Colette*, Firmin-Didot, 1931.

COCTEAU, J., *Colette*, Grasset, 1955.

DORMANN, G., *Amoureuse Colette*, éd. Herscher, 1984.

DUPONT, J., *Sensation et création dans l'œuvre de Colette*, thèse d'Etat, Université de Paris IV, 1987.

FORESTIER, L., *Chemins vers « La Maison de Claudine » et « Sido »*, Notes pour une étude, S.E.D.E.S., 1968.

GOUDEKET, M., *Près de Colette*, Flammarion, 1956, et *La Douceur de vieillir*, Flammarion, 1965.

HOUSSA, N., *Le Souci de l'expression chez Colette*, Palais des Académies, Bruxelles, 1958.
LARNAC, J., *Colette, sa vie, son œuvre*, Kra, 1927.
MARKS, E., *Colette*, Rutgers University Press, N.J., 1960.
MAULNIER, T., *Introduction à Colette*, La Palme, 1954.
PHELPS, R., *Autobiographie tirée des œuvres de Colette*, Fayard, 1966.
RAAPHORST-ROUSSEAU, M., *Colette, sa vie et son art*, Nizet, 1964.
REBOUX P., *Colette ou le génie du style*, Rasmussen, 1925.
TRAHARD, P., *L'Art de Colette*, Jean Renard, 1941.
SARDE, M., *Colette, libre et entravée*, Stock, 1978.
Colette, nouvelles approches critiques, Actes du colloque de Sarrebrück, juin 1984, Nizet, 1987. (Pour *La Maison de Claudine*, voir en particulier les articles de M.-F. BERTHU-COUTIVRON, « Le retour au pays natal dans l'œuvre de Colette », et M. DELCROIX, « " La Petite " (1921) et " Les Petites " (1912), Analyse textuelle »).

Revues et périodiques

Cahiers Colette, n°s 1 à 11, Société des Amis de Colette, 1978-1988.
JOUDRAIN, I., « Les mets et les mots dans " La Maison de Claudine " », *Littérature*, XII, 47, octobre 1982.
MARCOIN, F., « " La Maison de Claudine ", ne pas partir ou ne pas rester? », *Roman 20/50*, 3, juin 1987.
THIBAUT, M., « De Claudine à Colette », *Revue de Paris*, août 1957.
QUERLIN, M., « L'enfance de Claudine », *Artaban*, 12 avril 1957.
Le Point, « Colette », XXXIX, mai 1951.

La Maison de Claudine

OÙ SONT LES ENFANTS ?

LA maison était grande, coiffée d'un grenier haut. La pente raide de la rue obligeait les écuries et les remises, les poulaillers, la buanderie, la laiterie, à se blottir en contrebas tout autour d'une cour fermée.

Accoudée au mur du jardin, je pouvais gratter du doigt le toit du poulailler. Le Jardin-du-Haut commandait un Jardin-du-Bas, potager resserré et chaud, consacré à l'aubergine et au piment,où l'odeur du feuillage de la tomate se mêlait, en juillet, au parfum de l'abricot mûri sur espaliers. Dans le Jardin-du-Haut, deux sapins jumeaux, un noyer dont l'ombre intolérante tuait les fleurs, des roses, des gazons négligés, une tonnelle disloquée... Une forte grille de clôture, au fond, en bordure de la rue des Vignes, eût dû défendre les deux jardins ; mais je n'ai jamais connu cette grille que tordue, arrachée au ciment de son mur, emportée et brandie en l'air par les bras invincibles d'une glycine centenaire...

La façade principale, sur la rue de l'Hospice, était une façade à perron double, noircie, à grandes fenêtres et sans grâces, une maison bourgeoise de vieux village, mais la roide pente de la rue bousculait un peu sa gravité, et son perron boitait, quatre marches d'un côté, six de l'autre.

Grande maison grave, revêche avec sa porte à clochette d'orphelinat, son entrée cochère à gros verrou de geôle ancienne, maison qui ne souriait que d'un côté. Son revers, invisible au passant, doré par le soleil, portait manteau de glycine et de bignonier mêlés, lourds à l'armature de fer fatiguée, creusée en son milieu comme un hamac, qui ombrageait une petite terrasse dallée et le seuil du salon... Le reste vaut-il que je le peigne, à l'aide de pauvres mots ? Je n'aiderai personne à contempler ce qui s'attache de splendeur, dans mon souvenir, aux cordons rouges d'une vigne d'automne que ruinait son propre poids, cramponnée, au cours de sa chute, à quelque bras de pin. Ces lilas massifs dont la fleur compacte, bleue dans l'ombre, pourpre au soleil, pourrissait tôt, étouffée par sa propre exubérance, ces lilas morts depuis longtemps ne remonteront pas grâce à moi vers la lumière, ni le terrifiant clair de lune, – argent, plomb gris, mercure, facettes d'améthystes coupantes, blessants saphirs aigus, – qui dépendait de certaine vitre bleue, dans le kiosque au fond du jardin.

Maison et jardin vivent encore, je le sais, mais qu'importe si la magie les a quittés, si le secret est perdu qui ouvrait, – lumière, odeurs, harmonie d'arbres et d'oiseaux, murmure de voix humaines qu'a déjà suspendu la mort, – un monde dont j'ai cessé d'être digne ?...

Il arrivait qu'un livre, ouvert sur le dallage de la terrasse ou sur l'herbe, une corde à sauter serpentant dans une allée, ou un minuscule jardin bordé de cailloux, planté de têtes de fleurs, révélassent autrefois, dans le temps où cette maison et ce jardin abritaient une famille, la présence des enfants, et leurs âges différents. Mais ces signes ne s'accompagnaient presque jamais du cri, du rire enfantins, et le logis, chaud et plein, ressemblait bizarrement à ces maisons qu'une fin de vacances vide, en un moment, de toute sa joie. Le silence, le vent contenu du jardin clos, les pages du livre rebroussées sous le pouce invisible d'un sylphe, tout semblait demander : « Où sont les enfants ? »

C'est alors que paraissait, sous l'arceau de fer ancien que la glycine versait à gauche, ma mère, ronde et petite en ce temps où l'âge ne l'avait pas encore décharnée. Elle scrutait la verdure massive, levait la tête et jetait par les airs son appel : « Les enfants ! Où sont les enfants ? »

Où ? nulle part. L'appel traversait le jardin, heurtait le grand mur de la remise à foin, et revenait, en écho très faible et comme épuisé : « Hou... enfants... »

Nulle part. Ma mère renversait la tête vers les nuées, comme si elle eût attendu qu'un vol d'enfants ailés s'abattît. Au bout d'un moment, elle jetait le même cri, puis se lassait d'interroger le ciel, cassait de l'ongle le grelot sec d'un pavot, grattait un rosier emperlé de pucerons verts, cachait dans sa poche les premières noix, hochait le front en songeant aux enfants disparus, et rentrait. Cependant au-dessus d'elle, parmi le feuillage du noyer, brillait le visage triangulaire et penché d'un enfant allongé, comme un matou, sur une grosse branche, et qui se taisait. Une mère moins myope eût deviné, dans les révérences précipitées qu'échangeaient les cimes jumelles des deux sapins, une impulsion étrangère à celle des brusques bourrasques d'octobre... Et dans la lucarne carrée, au-dessous de la poulie à fourrage, n'eût-elle pas aperçu, en clignant les yeux, ces deux taches pâles dans le foin : le visage d'un jeune garçon et son livre ? Mais elle avait renoncé à nous découvrir, et désespéré de nous atteindre. Notre turbulence étrange ne s'accompagnait d'aucun cri. Je ne crois pas qu'on ait vu enfants plus remuants et plus silencieux. C'est maintenant que je m'en étonne. Personne n'avait requis de nous ce mutisme allègre, ni cette sociabilité limitée. Celui de mes frères qui avait dix-neuf ans et construisait des appareils d'hydrothérapie en boudins de toile, fil de fer et chalumeaux de verre n'empêchait pas le cadet, à quatorze ans, de démonter une montre, ni de réduire au piano, sans faute, une mélodie, un morceau symphonique entendu au chef-lieu ; ni même de prendre un plaisir impénétrable à émailler le jardin de petites pierres tombales découpées dans du carton, chacune portant, sous sa croix, les noms, l'épitaphe et la généalogie d'un défunt supposé... Ma sœur aux trop longs cheveux pouvait lire sans fin ni repos : les deux garçons passaient, frôlant comme sans la voir cette jeune fille assise, enchantée, absente, et ne la troublaient pas. J'avais, petite, le loisir de suivre, en courant presque, le grand pas des garçons, lancés dans les bois à la poursuite du Grand Sylvain, du Flambé, du Mars farouche, ou chassant la couleuvre, ou bottelant la haute digitale de juillet au fond des bois clairsemés, rougis de flaques de bruyères... Mais je suivais silencieuse, et je glanais la mûre, la merise, ou la fleur, je battais les taillis et les prés gorgés d'eau en chien indépendant qui ne rend pas de comptes...

« Où sont les enfants ? » Elle surgissait, essoufflée par sa quête constante de mère-chienne trop tendre, tête levée et flairant le vent. Ses bras emmanchés de toile blanche disaient qu'elle venait de pétrir la pâte à galette, ou le pudding saucé d'un brûlant velours de rhum et de confitures. Un grand tablier bleu la ceignait, si elle avait lavé la havanaise, et quelquefois elle agitait un étendard de papier jaune craquant, le papier de la boucherie ; c'est qu'elle espérait rassembler, en même temps que ses enfants égaillés, ses chattes vagabondes, affamées de viande crue...

Au cri traditionnel s'ajoutait, sur le même ton d'urgence et de supplication, le rappel de l'heure : « Quatre heures ! ils ne sont pas venus goûter ! Où sont les enfants ?... » « Six heures et demie ! Rentreront-ils dîner ? Où sont les enfants ?... » La jolie voix, et comme je pleurerais de plaisir à l'entendre... Notre seul péché, notre méfait unique était le silence, et une sorte d'évanouissement miraculeux. Pour des desseins innocents, pour une liberté qu'on ne nous refusait pas, nous sautions la grille, quittions les chaussures, empruntant pour le retour une échelle inutile, le mur bas d'un voisin. Le flair subtil de la mère inquiète découvrait sur nous l'ail sauvage d'un ravin lointain ou la menthe des marais masqués d'herbe. La poche mouillée d'un des garçons cachait le caleçon qu'il avait emporté aux étangs fiévreux, et la « petite », fendue au genou, pelée au coude, saignait tranquillement sous des emplâtres de toiles d'araignée et de poivre moulu, liés d'herbes rubannées...

— Demain, je vous enferme ! Tous, vous entendez, tous !

Demain... Demain l'aîné, glissant sur le toit d'ardoises où il installait un réservoir d'eau, se cassait la clavicule et demeurait muet, courtois, en demi-syncope, au pied du mur, attendant qu'on vînt l'y ramasser. Demain, le cadet recevait sans mot dire, en plein front, une échelle de six mètres, et rapportait avec modestie un œuf violacé entre les deux yeux...

— Où sont les enfants ?

Deux reposent. Les autres jour par jour vieillissent. S'il est un lieu où l'on attend après la vie, celle qui nous attendit tremble encore, à cause des deux vivants. Pour l'aînée de nous tous elle a du moins fini de regarder le noir de la vitre, le soir : « Ah ! je sens que cette enfant n'est pas heureuse... Ah ! je sens qu'elle souffre... »

Pour l'aîné des garçons elle n'écoute plus, palpitante, le roulement d'un cabriolet de médecin sur la neige, dans la nuit, ni le pas de la jument grise. Mais je sais que pour les deux qui restent elle erre et quête encore, invisible, tourmentée de n'être pas assez tutélaire : « Où sont, où sont les enfants ?... »

LE SAUVAGE

QUAND il l'enleva, vers 1853, à sa famille, qui comptait seulement deux frères, journalistes français mariés en Belgique, à ses amis, – des peintres, des musiciens et des poètes, toute une jeune bohème d'artistes français et belges, – elle avait dix-huit ans. Une fille blonde, pas très jolie et charmante, à grande bouche et à menton fin, les yeux gris et gais, portant sur la nuque un chignon bas de cheveux glissants, qui coulaient entre les épingles, – une jeune fille libre, habituée à vivre honnêtement avec des garçons, frères et camarades. Une jeune fille sans dot, trousseau ni bijoux, dont le buste mince, au-dessus de la jupe épanouie, pliait gracieusement : une jeune fille à taille plate et épaules rondes, petite et robuste.

Le Sauvage la vit, un jour qu'elle était venue, de Belgique en France, passer quelques semaines d'été chez sa nourrice paysanne, et qu'il visitait à cheval ses terres voisines. Accoutumé à ses servantes sitôt quittées que conquises, il rêva de cette jeune fille désinvolte, qui l'avait regardé sans baisser les yeux et sans lui sourire. La barbe noire du passant, son cheval rouge comme guigne, sa pâleur de vampire distingué ne déplurent pas à la jeune fille, mais elle l'oubliait au moment où il s'enquit d'elle. Il apprit son nom et qu'on l'appelait « Sido », pour abréger Sidonie. Formaliste comme beaucoup de « sauvages », il fit mouvoir notaire et parents, et l'on connut, en Belgique, que ce fils de gentilshommes verriers possédait des fermes, des bois, une belle maison à perron et jardin, de l'argent comptant... Effarée, muette, Sido écoutait, en roulant sur ses doigts ses « anglaises » blondes. Mais une jeune fille sans fortune et sans métier, qui vit à la charge de ses frères, n'a qu'à se taire, à accepter sa chance et à remercier Dieu.

Elle quitta donc la chaude maison belge, la cuisine-de-cave qui sentait le gaz, le pain chaud et le café ; elle quitta le piano, le violon, le grand Salvator Rosa légué par son père, le pot à tabac et les fines pipes de terre à long tuyau, les grilles à coke, les livres ouverts et les journaux froissés, pour entrer, jeune mariée, dans la maison à perron que le dur hiver des pays forestiers entourait.

Elle y trouva un inattendu salon blanc et or au rez-de-chaussée, mais un premier étage à peine crépi, abandonné comme un grenier. Deux bons chevaux, deux vaches, à l'écurie, se gorgeaient de fourrage et d'avoine ; on barattait le beurre et pressait les fromages dans les communs, mais les chambres à coucher, glacées, ne parlaient ni d'amour ni de doux sommeil.

L'argenterie, timbrée d'une chèvre debout sur ses sabots de derrière, la cristallerie et le vin abondaient. Des vieilles femmes ténébreuses filaient à la chandelle dans la cuisine, le soir, teillaient et dévidaient le chanvre des propriétés, pour fournir les lits et l'office de toile lourde, inusable et froide. Un âpre caquet de cuisinières agressives s'élevait et s'abaissait, selon que le maître approchait ou s'éloignait de la maison ; des fées barbues projetaient dans un regard, sur la nouvelle épouse, le mauvais sort, et quelque belle lavandière délaissée du maître pleurait férocement, accotée à la fontaine, en l'absence du Sauvage qui chassait.

Ce Sauvage, homme de bonnes façons le plus souvent, traita bien, d'abord, sa petite civilisée.

Mais Sido, qui cherchait des amis, une sociabilité innocente et gaie, ne rencontra dans sa propre demeure que des serviteurs, des fermiers cauteleux, des gardes-chasse poissés de vin et de sang de lièvre, que suivait une odeur de loup. Le Sauvage leur parlait peu, de haut. D'une noblesse oubliée, il gardait le dédain, la politesse, la brutalité, le goût des inférieurs ; son surnom ne visait que sa manière de chevaucher seul, de chasser sans chien ni compagnon, de demeurer muet. Sido aimait la conversation, la moquerie, le mouvement, la bonté despotique et dévouée, la douceur. Elle fleurit la grande maison, fit blanchir la cuisine sombre, surveilla elle-même des plats flamands, pétrit des gâteaux aux raisins et espéra son premier enfant. Le Sauvage lui souriait entre deux randonnées et repartait. Il retournait à ses vignes, à ses bois spongieux, s'attardait aux auberges de carrefours où tout est noir autour d'une longue chandelle : les solives, les murs enfumés, le pain de seigle et le vin dans les gobelets de fer...

Au bout de recettes gourmandes, de patience et d'encaustique, Sido, maigrie d'isolement, pleura, et le Sauvage aperçut la trace des larmes qu'elle niait. Il comprit confusément qu'elle s'ennuyait, qu'une certaine espèce de confort et de luxe, étrangère à toute sa mélancolie de Sauvage, manquait. Mais quoi ?...

Il partit un matin à cheval, trotta jusqu'au chef-lieu – quarante kilomètres – battit la ville et revint la nuit d'après, rapportant, avec un grand air de gaucherie fastueuse, deux objets étonnants, dont la convoitise d'une jeune femme pût se trouver ravie : un petit mortier à piler les amandes et les pâtes, en marbre lumachelle très rare, et un cachemire de l'Inde.

Dans le mortier dépoli, ébréché, je pourrais encore piler les amandes, mêlées au sucre et au zeste de citron. Mais je me reproche de découper en coussins et en sacs à main le cachemire à fond cerise. Car ma mère, qui fut la Sido sans amour et sans reproche de son premier mari hypocondre, soignait châle et mortier avec des mains sentimentales.

– Tu vois, me disait-elle, il me les a apportés, ce Sauvage qui ne savait pas donner. Il me les a pourtant apportés à grand-peine, attachés sur sa jument Mustapha. Il se tenait devant moi, les bras chargés, aussi fier et aussi maladroit qu'un très grand chien qui porte dans sa gueule une petite pantoufle. Et j'ai bien compris que, pour lui, ses cadeaux n'avaient figure de mortier ni de châle. C'étaient « des cadeaux », des objets rares et coûteux qu'il était allé chercher loin ; c'était son premier geste désintéressé – hélas ! et le dernier – pour divertir et consoler une jeune femme exilée et qui pleurait...

AMOUR

— IL n'y a rien pour le dîner, ce soir... Ce matin, Tricotet n'avait pas encore tué... Il devait tuer à midi. Je vais moi-même à la boucherie, comme je suis. Quel ennui ! Ah ! pourquoi mange-t-on ? Qu'allons-nous manger ce soir ?

Ma mère est debout, découragée, devant la fenêtre. Elle porte sa « robe de maison » en satinette à pois, sa broche d'argent qui représente deux anges penchés sur un portrait d'enfant, ses lunettes au bout d'une chaîne et son lorgnon au bout d'un cordonnet de soie noire, accroché à toutes les clefs de porte, rompu à toutes les poignées de tiroir et renoué vingt fois. Elle nous regarde, tour à tour, sans espoir. Elle sait qu'aucun de nous ne lui donnera un avis utile. Consulté, papa répondra :

— Des tomates crues avec beaucoup de poivre.

— Des choux rouges au vinaigre, dit Achille, l'aîné de mes frères, que sa thèse de doctorat retient à Paris.

— Un grand bol de chocolat ! postulera Léo, le second.

Et je réclamerai, en sautant en l'air parce que j'oublie souvent que j'ai quinze ans passés :

— Des pommes de terre frites ! Des pommes de terre frites ! Et des noix avec du fromage !

Mais il paraît que frites, chocolat, tomates et choux rouges ne « font pas un dîner »...

— Pourquoi, maman ?

– Ne pose donc pas de questions stupides...

Elle est toute à son souci. Elle a déjà empoigné le panier fermé, en rotin noir, et s'en va, comme elle est. Elle garde son chapeau de jardin roussi par trois étés, à grands bords, à petit fond cravaté d'une ruche marron, et son tablier de jardinière, dont le bec busqué du sécateur a percé une poche. Des graines sèches de nigelles, dans leur sachet de papier, font, au rythme de son pas, un bruit de pluie et de soie égratignée au creux de l'autre poche. Coquette pour elle, je lui crie :

– Maman ! ôte ton tablier !

Elle tourne en marchant sa figure à bandeaux qui porte, chagrine, ses cinquante-cinq ans, et trente lorsqu'elle est gaie.

– Pourquoi donc ? Je ne vais que dans la rue de la Roche.

– Laisse donc ta mère tranquille, gronde mon père dans sa barbe. Où va-t-elle, au fait ?

– Chez Léonore, pour le dîner.

– Tu ne vas pas avec elle ?

– Non. Je n'ai pas envie aujourd'hui.

Il y a des jours où la boucherie de Léonore, ses couteaux, sa hachette, ses poumons de bœuf gonflés que le courant d'air irise et balance, roses comme la pulpe du bégonia, me plaisent à l'égal d'une confiserie. Léonore y tranche pour moi un ruban de lard salé qu'elle me tend, transparent, du bout de ses doigts froids. Dans le jardin de la boucherie, Marie Tricotet, qui est pourtant née le même jour que moi, s'amuse encore à percer d'une épingle des vessies de porc ou de veau non vidées, qu'elle presse sous le pied « pour faire jet d'eau ». Le son affreux de la peau qu'on arrache à la chair fraîche, la rondeur des rognons, fruits bruns dans leur capitonnage immaculé de « panne » rosée, m'émeuvent d'une répugnance compliquée, que je recherche et que je dissimule. Mais la graisse fine qui demeure au creux du petit sabot fourchu, lorsque le feu fait éclater les pieds du cochon mort, je la mange comme une friandise saine... N'importe. Aujourd'hui, je n'ai guère envie de suivre maman.

Mon père n'insiste pas, se dresse agilement sur sa jambe unique, empoigne sa béquille et sa canne et monte à la bibliothèque. Avant de monter, il plie méticuleusement le journal *Le Temps*, le cache sous le coussin de sa bergère, enfouit dans une poche de son long paletot *La Nature* en robe d'azur. Son petit œil cosaque, étincelant sous un sourcil de chanvre gris, rafle sur les tables toute provende imprimée, qui prendra le chemin de la bibliothèque et ne reverra plus la lumière... Mais, bien dressés à cette chasse, nous ne lui avons rien laissé...

– Tu n'as pas vu le *Mercure de France ?*

– Non, papa.

– Ni la *Revue Bleue ?*

– Non, papa.

Il darde sur ses enfants un œil de tortionnaire.

– Je voudrais bien savoir qui, dans cette maison...

Il s'épanche en sombres et impersonnelles conjectures, émaillées de démonstratifs venimeux. Sa maison est devenue *cette* maison, où règne *ce* désordre, où *ces enfants* « de basse extraction » professent le mépris du papier imprimé, encouragés d'ailleurs par *cette* femme...

– ... Au fait, où est cette femme ?

– Mais, papa, elle est chez Léonore !

– Encore !

– Elle vient de partir...

Il tire sa montre, la remonte comme s'il allait se coucher, agrippe, faute de mieux, l'*Office de Publicité* d'avant-hier, et monte à la bibliothèque. Sa main droite étreint fortement le barreau d'une béquille qui étaie l'aisselle droite de mon père. L'autre main se sert seulement d'une canne. J'écoute s'éloigner, ferme, égal, ce rythme de deux bâtons et d'un seul pied qui a bercé toute ma jeunesse. Mais voilà qu'un malaise neuf me trouble aujourd'hui, parce que je viens de remarquer, soudain, les veines saillantes et les rides sur les mains si blanches de mon père, et combien cette frange de cheveux drus, sur sa nuque, a perdu sa couleur depuis peu... C'est donc possible qu'il ait bientôt soixante ans ?...

Il fait frais et triste, sur le perron où j'attends le retour de ma mère. Son petit pas élégant sonne enfin dans la rue de la Roche et je m'étonne de me sentir si contente... Elle tourne le coin de la rue, elle descend vers moi. L'Infâme-Patasson, – le chien, – la précède, et elle se hâte.

– Laisse-moi, chérie, si je ne donne pas l'épaule de mouton tout de suite à Henriette pour la mettre au feu, nous mangerons de la semelle de bottes. Où est ton père ?

Je la suis, vaguement choquée, pour la première fois, qu'elle s'inquiète de papa. Puisqu'elle l'a quitté il y a une demi-heure et qu'il ne sort presque jamais... Elle le sait bien, où est mon père... Ce qui pressait davantage, c'était de me dire, par exemple : « Minet-Chéri, tu es pâlotte... Minet-Chéri, qu'est-ce que tu as ? »

Sans répondre, je la regarde jeter loin d'elle son chapeau de jardin, d'un geste jeune qui découvre des cheveux gris et un visage au frais coloris, mais marqué ici et là de plis ineffaçables. C'est donc possible – mais oui, je suis la dernière née des quatre – c'est donc possible que ma mère ait bientôt cinquante-quatre ans ?... Je n'y pense jamais. Je voudrais l'oublier.

Le voici, celui qu'elle réclamait. Le voici hérissé, la barbe en bataille. Il a guetté le claquement de la porte d'entrée, il est descendu de son aire...

– Te voilà ? Tu y as mis le temps.

Elle se retourne, rapide comme une chatte :

– Le temps ? C'est une plaisanterie, je n'ai fait qu'aller et revenir.

– Revenir d'où ? de chez Léonore ?

– Ah ! non, il fallait aussi que je passe chez Corneau, pour...

– Pour sa tête de crétin ? et ses considérations sur la température ?

– Tu m'ennuies ! J'ai été aussi chercher de la feuille de cassis chez Cholet.

Le petit œil cosaque jette un trait aigu :

– Ah ! ah ! chez Cholet !

Mon père rejette la tête en arrière, passe une main dans ses cheveux épais, presque blancs :

– Ah ! ah ! chez Cholet ! As-tu remarqué seulement que ses cheveux tombent, à Cholet, et qu'on lui voit le caillou ?

– Non, je n'ai pas remarqué.

– Tu n'as pas remarqué ? Mais non, tu n'as pas remarqué ! Tu étais bien trop occupée à faire la belle pour les godelureaux du mastroquet d'en face et les deux fils Mabilat !

– Oh ! c'est trop fort ! Moi, moi, pour les deux fils Mabilat ! Ecoute, vraiment, je ne conçois pas comment tu oses... Je t'affirme que je n'ai pas même tourné la tête du côté de chez Mabilat ! Et la preuve, c'est que...

Ma mère croise avec feu, sur sa gorge que hausse un corset à goussets, ses jolies mains, fanées par l'âge et le grand air. Rougissante entre ses bandeaux qui grisonnent, soulevée d'une indignation qui fait trembler son menton détendu, elle est plaisante, cette petite dame âgée, quand elle se défend, sans rire, contre un jaloux sexagénaire. Il ne rit pas non plus, lui, qui l'accuse à présent de « courir le guilledou ». Mais je ris encore, moi, de leurs querelles, parce que je n'ai que quinze ans, et que je n'ai pas encore deviné, sous un sourcil de vieillard, la férocité de l'amour, et sur des joues flétries de femme la rougeur de l'adolescence.

LA PETITE

UNE odeur de gazon écrasé traîne sur la pelouse, non fauchée, épaisse, que les jeux, comme une lourde grêle, ont versée en tous sens. Des petits talons furieux ont fouillé les allées, rejeté le gravier sur les plates-bandes ; une corde à sauter pend au bras de la pompe ; les assiettes d'un ménage de poupée, grandes comme des marguerites, étoilent l'herbe ; un long miaulement ennuyé annonce la fin du jour, l'éveil des chats, l'approche du dîner.

Elles viennent de partir, les compagnes de jeu de la Petite. Dédaignant la porte, elles ont sauté la grille du jardin, jeté à la rue des Vignes, déserte, leurs derniers cris de possédées, leurs jurons enfantins proférés à tue-tête, avec des gestes grossiers des épaules, des jambes écartées, des grimaces de crapauds, des strabismes volontaires, des langues tirées tachées d'encre violette. Par-dessus le mur, la Petite – on dit aussi Minet-Chéri – a versé sur leur fuite ce qui lui restait de gros rire, de moquerie lourde et de mots patois. Elles avaient le verbe rauque, des pommettes et des yeux de fillettes qu'on a saoulées. Elles partent harassées, comme avilies par un après-midi entier de jeux. Ni l'oisiveté ni l'ennui n'ont ennobli ce trop long et dégradant plaisir, dont la Petite demeure écœurée et enlaidie.

Les dimanches sont des jours parfois rêveurs et vides ; le soulier blanc, la robe empesée préservent de certaines frénésies. Mais le jeudi, chômage encanaillé, grève en tablier noir et bottines à clous, permet tout. Pendant près de cinq heures, ces enfants ont goûté les licences du jeudi. L'une fit la malade, l'autre vendit du café à une troisième, maquignonne, qui lui céda ensuite une vache : « Trente pistoles, bonté ! Cochon qui s'en dédit ! » Jeanne emprunta au père Gruel son âme de tripier et de préparateur de peaux de lapin. Yvonne incarna la fille de Gruel, une maigre créature torturée et dissolue. Scire et sa femme, les voisins de Gruel, parurent sous les traits de Gabrielle et de Sandrine, et par six bouches enfantines s'épancha la boue d'une ruelle pauvre. D'affreux ragots de friponnerie et de basses amours tordirent mainte lèvre, teinte du sang de la cerise, où brillait encore le miel du goûter... Un jeu de cartes sortit d'une poche et les cris montèrent. Trois petites filles sur six ne savaient-elles pas déjà tricher, mouiller le pouce comme au cabaret, assener l'atout sur la table : « Et ratatout ! Et t'as biché le cul de la bouteille ; t'as pas marqué un point ! »

Tout ce qui traîne dans les rues d'un village, elles l'ont crié, mimé avec passion.

Ce jeudi fut un de ceux que fuit la mère de Minet-Chéri, retirée dans la maison et craintive comme devant l'envahisseur.

A présent, tout est silence au jardin. Un chat, deux chats s'étirent, bâillent, tâtent le gravier sans confiance : ainsi font-ils après l'orage. Ils vont vers la maison, et la Petite, qui marchait à leur suite, s'arrête ; elle ne s'en sent pas digne. Elle attendra que se lève lentement, sur son visage chauffé, noir d'excitation, cette pâleur, cette aube intérieure qui fête le départ des bas démons. Elle ouvre, pour un dernier cri, une grande bouche aux incisives neuves. Elle écarquille les yeux, remonte la peau de son front, souffle « pouh ! » de fatigue et s'essuie le nez d'un revers de main.

Un tablier d'école l'ensache du col aux genoux, et elle est coiffée en enfant de pauvre, de deux nattes cordées derrière les oreilles. Que seront les mains, où la ronce et le chat marquèrent leurs griffes, les pieds, lacés dans du veau jaune écorché ? Il y a des jours où on dit que la Petite sera jolie. Aujourd'hui, elle est laide, et sent sur son visage la laideur provisoire que lui composent sa sueur, des traces terreuses de doigts sur une joue, et surtout des ressemblances successives, mimétiques, qui l'apparentent à Jeanne, à Sandrine, à Aline la couturière en journées, à la dame du pharmacien et à la demoiselle de la poste. Car elles ont joué longuement, pour finir, les petites, au jeu de « qu'est-ce-qu'on-sera ».

– Moi, quante je serai grande...

Habiles à singer, elles manquent d'imagination. Une sorte de sagesse résignée, une terreur villageoise de l'aventure et de l'étranger retiennent d'avance la petite horlogère, la fille de l'épicier, du boucher et de la repasseuse, captives dans la boutique maternelle. Il y a bien Jeanne qui a déclaré :

– Moi, je serai cocotte !

« Mais ça », pense dédaigneusement Minet-Chéri, « c'est de l'enfantillage... »

A court de souhait, elle leur a jeté, son tour venu, sur un ton de mépris :

– Moi, je serai marin ! parce qu'elle rêve parfois d'être garçon et de porter culotte et béret bleus. La mer qu'ignore Minet-Chéri, le vaisseau debout sur une crête de vague, l'île d'or et les fruits lumineux, tout cela n'a surgi, après, que pour servir de fond au blouson bleu, au béret à pompon.

– Moi, je serai marin, et dans mes voyages...

Assise dans l'herbe, elle se repose et pense peu. Le voyage ? L'aventure ?... Pour une enfant qui franchit deux fois l'an les limites de son canton, au moment des grandes provisions d'hiver et de printemps, et gagne le chef-lieu en victoria, ces mots-là sont sans force et sans vertu. Ils n'évoquent que des pages imprimées, des images en couleur. La Petite, fatiguée, se répète machinalement :

« Quand je ferai le tour du monde... » comme elle dirait : « Quand j'irai gauler des châtaignes... »

Un point rouge s'allume dans la maison, derrière les vitres du salon, et la Petite tressaille. Tout ce qui, l'instant d'avant, était verdure, devient bleu, autour de cette rouge flamme immobile. La main de l'enfant, traînante, perçoit dans l'herbe l'humidité du soir. C'est l'heure des lampes. Un clapotis d'eau courante mêle les feuilles, la porte du fenil se met à battre le mur comme en hiver par la bourrasque. Le jardin, tout à coup ennemi, rebrousse, autour d'une petite fille dégrisée, ses feuilles froides de laurier, dresse ses sabres de yucca et ses chenilles d'araucaria barbelées. Une grande voix marine gémit du côté de Moutiers où le vent, sans obstacle, court en risées sur la houle des bois. La Petite, dans l'herbe, tient ses yeux fixés sur la lampe, qu'une brève éclipse vient de voiler : une main a passé devant la flamme, une main qu'un dé brillant coiffait. C'est cette main dont le geste a suffi pour que la Petite, à présent, soit debout, pâlie, adoucie, un peu tremblante comme l'est une enfant qui cesse, pour la première fois, d'être le gai petit vampire qui épuise, inconscient, le cœur maternel ; un peu tremblante de ressentir et d'avouer que cette main et cette flamme, et la tête penchée, soucieuse, auprès de la lampe, sont le centre et le secret d'où naissent et se propagent, – en zones de moins en moins sensibles, en cercles qu'atteint de moins en moins la lumière et la vibration essentielles, – le salon tiède, sa flore de branches coupées et sa faune d'animaux paisibles ; la maison sonore sèche, craquante comme un pain chaud ; le jardin, le village... Au-delà, tout est danger, tout est solitude...

Le « marin », à petits pas, éprouve la terre ferme, et gagne la maison en se détournant d'une lune jaune, énorme, qui monte. L'aventure ? Le voyage ? L'orgueil qui fait les émigrants ?... Les yeux attachés au dé brillant, à la main qui passe et repasse devant la lampe, Minet-Chéri goûte la condition délicieuse d'être – pareille à la petite horlogère, à la fillette de la lingère et du boulanger, – une enfant de son village, hostile au colon comme au barbare, une de celles qui limitent leur univers à la borne d'un champ, au portillon d'une boutique, au cirque de clarté épanoui sous une lampe et que traverse, tirant un fil, une main bien-aimée, coiffée d'un dé d'argent.

L'ENLÈVEMENT

– Je ne peux plus vivre comme ça, me dit ma mère. J'ai encore rêvé qu'on t'enlevait cette nuit. Trois fois je suis montée jusqu'à ta porte. Et je n'ai pas dormi.

Je la regardai avec commisération, car elle avait l'air fatigué et inquiet. Et je me tus, car je ne connaissais pas de remède à son souci.

– C'est tout ce que ça te fait, petite monstresse ?

– Dame, maman... Qu'est-ce que tu veux que je dise ? Tu as l'air de m'en vouloir que ce ne soit qu'un rêve.

Elle leva les bras au ciel, courut vers la porte, accrocha en passant le cordon de son pince-nez à une clef de tiroir, puis le jaseron de son face-à-main au loquet de la porte, entraîna dans les mailles de son fichu le dossier pointu et gothique d'une chaise Second Empire, retint la moitié d'une imprécation et disparut après un regard indigné, en murmurant :

– Neuf ans !... Et me répondre de cette façon quand je parle de choses graves !

Le mariage de ma demi-sœur venait de me livrer sa chambre, la chambre du premier étage, étoilée de bleuets sur un fond blanc gris.

Quittant ma tanière enfantine – une ancienne logette de portier à grosses poutres, carrelée, suspendue au-dessus de l'entrée cochère et commandée par la chambre à coucher de ma mère – je dormais, depuis un mois, dans ce lit que je n'avais osé convoiter, ce lit dont les rosaces de fonte argentée retenaient dans leur chute des rideaux de guipure blanche, doublés d'un bleu impitoyable. Ce placard-cabinet de toilette m'appartenait, et j'accoudais à l'une ou l'autre fenêtre une mélancolie, un dédain tous deux feints, à l'heure où les petits Blancvillain et les Trinitet passaient, mordant leur tartine de quatre heures, épaissie de haricots rouges figés dans une sauce au vin. Je disais, à tout propos :

– Je monte à ma chambre... Céline a laissé les persiennes de ma chambre ouvertes...

Bonheur menacé : ma mère, inquiète, rôdait. Depuis le mariage de ma sœur, elle n'avait plus son compte d'enfants. Et puis, je ne sais quelle histoire de jeune fille enlevée, séquestrée, illustrait la première page des journaux. Un chemineau, éconduit à la nuit tombante par notre cuisinière, refusait de s'éloigner, glissait son gourdin entre les battants de la porte d'entrée, jusqu'à l'arrivée de mon père... Enfin, des romanichels, rencontrés sur la route, m'avaient offert, avec d'étincelants sourires et des regards de haine, de m'acheter mes cheveux, et M. Demange, ce vieux monsieur qui ne parlait à personne, s'était permis de m'offrir des bonbons dans sa tabatière.

– Tout ça n'est pas bien grave, assurait mon père.

– Oh ! toi... Pourvu qu'on ne trouble pas ta cigarette d'après-déjeuner et ta partie de dominos... Tu ne songes même pas qu'à présent la petite couche en haut, et qu'un étage, la salle à manger, le corridor, le salon, la séparent de ma chambre. J'en ai assez de trembler tout le temps pour mes filles. Déjà l'aînée qui est partie avec ce monsieur...

– Comment, partie ?

– Oui, enfin, mariée. Mariée ou pas mariée,

elle est tout de même partie avec un monsieur qu'elle connaît à peine.

Elle regardait mon père avec une suspicion tendre.

– Car, enfin, toi, qu'est-ce que tu es pour moi ? Tu n'es même pas mon parent...

Je me délectais, aux repas, de récits à mots couverts, de ce langage, employé par les parents, où le vocable hermétique remplace le terme vulgaire, où la moue significative et le « hum ! » théâtral appellent et soutiennent l'attention des enfants.

– A Gand, dans ma jeunesse, racontait mère, une de mes amies, qui n'avait que seize ans, a été enlevée... Mais parfaitement ! Et dans une voiture à deux chevaux encore. Le lendemain... hum !... Naturellement. Il ne pouvait plus être question de la rendre à sa famille. Il y a des... comment dirai-je ? des effractions que... Enfin ils se sont mariés. Il fallait bien en venir là.

« Il fallait bien en venir là ! »

Imprudente parole... Une petite gravure ancienne, dans l'ombre du corridor, m'intéressa soudain. Elle représentait une chaise de poste, attelée de deux chevaux étranges à cous de chimères. Devant la portière béante, un jeune homme habillé de taffetas portait, d'un seul bras, avec la plus grande facilité, une jeune fille renversée dont la petite bouche ouverte en O, les jupes en corolle chiffonnée autour de deux jambes aimables, s'efforçaient d'exprimer l'épouvante. *« L'Enlèvement ! »* Ma songerie, innocente, caressa le mot et l'image...

Une nuit de vent, pendant que battaient les portillons mal attachés de la basse-cour, que ronflait au-dessus de moi le grenier, balayé d'ouest en est par les rafales qui, courant sous les bords des ardoises mal jointes, jouaient des airs cristallins d'harmonica, je dormais, bien rompue par un jeudi passé aux champs à gauler les châtaignes et fêter le cidre nouveau. Rêvai-je que ma porte grinçait ? Tant de gonds, tant de girouettes gémissaient alentour... Deux bras, singulièrement experts à soulever un corps endormi, ceignirent ici mes reins, ici ma nuque, pressant en même temps autour de moi la couverture et le drap. Ma joue perçut l'air plus froid de l'escalier ; un pas assourdi, lourd, descendit lentement, et chaque pas me berçait d'une secousse molle. M'éveillai-je tout à fait ? J'en doute. Le songe seul peut, emportant d'un coup d'aile une petite fille par-delà son enfance, la déposer, ni surprise, ni révoltée, en pleine adolescence hypocrite et aventureuse. Le songe seul épanouit dans une enfant tendre l'ingrate qu'elle sera demain, la fourbe complice du passant, l'oublieuse qui quittera la maison maternelle sans tourner la tête... Telle je partais, pour le pays où la chaise de poste, sonnante de grelots de bronze, arrête devant l'église un jeune homme de taffetas et une jeune fille pareille, dans le désordre de ses jupes, à une rose au pillage... Je ne criai pas. Les deux bras m'étaient si doux, soucieux de m'étreindre assez, de garer, au passage des portes, mes pieds ballants... Un rythme familier, vraiment, m'endormait entre ces bras ravisseurs...

Au jour levé, je ne reconnus pas ma soupente ancienne, encombrée maintenant d'échelles et de meubles boiteux, où ma mère en peine m'avait portée, nuitamment, comme une mère chatte qui déplace en secret le gîte de son petit. Fatiguée, elle dormait, et ne s'éveilla que quand je jetai, aux murs de ma logette oubliée, mon cri perçant :

– Maman viens vite ! Je suis enlevée !

LE CURÉ SUR LE MUR

— A QUOI penses-tu, Bel-Gazou ?

— A rien, maman.

C'est bien répondu. Je ne répondais pas autrement quand j'avais son âge, et que je m'appelais, comme s'appelle ma fille dans l'intimité, Bel-Gazou. D'où vient ce nom, et pourquoi mon père me le donna-t-il autrefois ? Il est sans doute patois et provençal — beau gazouillis, beau langage — mais il ne déparerait pas le héros ou l'héroïne d'un conte persan...

« A rien, maman. » Il n'est pas mauvais que les enfants remettent de temps en temps, avec politesse, les parents à leur place. Tout temple est sacré. Comme je dois lui paraître indiscrète et lourde, à ma Bel-Gazou d'à-présent ! Ma question tombe comme un caillou et fêle le miroir magique qui reflète, entourée de ses fantômes favoris, une image d'enfant que je ne connaîtrai jamais. Je sais que pour son père, ma fille est une sorte de petit paladin femelle qui règne sur sa terre, brandit une lance de noisetier, pourfend les meules de paille et pousse devant elle le troupeau comme si elle le menait en croisade. Je sais qu'un sourire d'elle l'enchante, et que lorsqu'il dit tout bas : « Elle est ravissante en ce moment », c'est que ce moment-là pose, sur un tendre visage de petite fille, le double saisissant d'un visage d'homme...

Je sais que pour sa nurse fidèle, ma Bel-Gazou

est tour à tour le centre du monde, un chef-d'œuvre accompli, le monstre possédé d'où il faut à chaque heure extirper le démon, une championne à la course, un vertigineux abîme de perversité, une *dear little one,* et un petit lapin... Mais qui me dira ce qu'est ma fille devant elle-même ?

A son âge – pas tout à fait huit ans – j'étais curé sur un mur. Le mur, épais et haut, qui séparait le jardin de la basse-cour, et dont le faîte, large comme un trottoir, dallé à plat, me servait de piste et de terrasse, inaccessible au commun des mortels. Eh oui, curé sur un mur. Qu'y a-t-il d'incroyable ? J'étais curé sans obligation liturgique ni prêche, sans travestissement irrévérencieux, mais, à l'insu de tous, curé Curé comme vous êtes chauve, monsieur, ou vous, madame, arthritique.

Le mot « presbytère » venait de tomber, cette année-là, dans mon oreille sensible, et d'y faire des ravages.

« C'est certainement le presbytère le plus gai que je connaisse... » avait dit quelqu'un.

Loin de moi l'idée de demander à l'un de mes parents : « Qu'est-ce que c'est, un presbytère ? » J'avais recueilli en moi le mot mystérieux, comme brodé d'un relief rêche en son commencement, achevé en une longue et rêveuse syllabe... Enrichie d'un secret et d'un doute, je dormais avec le *mot* et je l'emportais sur mon mur. « Presbytère ! » Je le jetais, par-dessus le toit du poulailler et le jardin de Miton, vers l'horizon toujours brumeux de Moutiers. Du haut de mon mur, le mot sonnait en anathème : « Allez ! vous êtes tous des presbytères ! » criais-je à des bannis invisibles.

Un peu plus tard, le mot perdit de son venin, et je m'avisai que « presbytère » pouvait bien être le nom scientifique du petit escargot rayé jaune et noir... Une imprudence perdit tout, pendant une de ces minutes où une enfant, si grave, si chimérique qu'elle soit, ressemble passagèrement à l'idée que s'en font les grandes personnes...

— Maman ! regarde le joli petit presbytère que j'ai trouvé !

— Le joli petit... quoi ?

— Le joli petit presb...

Je me tus, trop tard. Il me fallut apprendre — « Je me demande si cette enfant a tout son bon sens... » — ce que je tenais tant à ignorer, et appeler « les choses par leur nom... »

— Un presbytère, voyons, c'est la maison du curé.

— La maison du curé... Alors, M. le curé Millot habite dans un presbytère ?

— Naturellement... Ferme ta bouche, respire par le nez... Naturellement, voyons...

J'essayai encore de réagir... Je luttai contre l'effraction, je serrai contre moi les lambeaux de mon extravagance, je voulus obliger M. Millot à habiter, le temps qu'il me plairait, dans la coquille vide du petit escargot nommé « presbytère »...

— Veux-tu prendre l'habitude de fermer la bouche quand tu ne parles pas ? A quoi penses-tu ?

— A rien, maman...

... Et puis je cédai. Je fus lâche, et je composai avec ma déception. Rejetant le débris du petit escargot écrasé, je ramassai le beau mot, je remontai jusqu'à mon étroite terrasse ombragée de vieux lilas, décorée de cailloux polis et de verroteries comme le nid d'une pie voleuse, je la baptisai « Presbytère », et je me fis curé sur le mur.

MA MÈRE ET LES LIVRES

La lampe, par l'ouverture supérieure de l'abat-jour, éclairait une paroi cannelée de dos de livres, reliés. Le mur opposé était jaune, du jaune sale des dos de livres brochés, lus, relus, haillonneux. Quelques « traduits de l'anglais » – un franc vingt-cinq – rehaussaient de rouge le rayon du bas.

A mi-hauteur, Musset, Voltaire, et les Quatre Évangiles brillaient sous la basane feuille-morte. Littré, Larousse et Becquerel bombaient des dos de tortues noires. D'Orbigny, déchiqueté par le culte irrévérencieux de quatre enfants, effeuillait ses pages blasonnées de dahlias, de perroquets, de méduses à chevelures roses et d'ornithorynques.

Camille Flammarion, bleu, étoilé d'or, contenait les planètes jaunes, les cratères froids et crayeux de la lune, Saturne qui roule, perle irisée, libre dans son anneau...

Deux solides volets couleur de glèbe reliaient Élisée Reclus, Voltaire jaspés, Balzac noir et Shakespeare olive...

Je n'ai qu'à fermer les yeux pour revoir, après tant d'années, cette pièce maçonnée de livres. Autrefois, je les distinguais aussi dans le noir. Je ne prenais pas de lampe pour choisir l'un d'eux, le soir, il me suffisait de pianoter le long des rayons. Détruits, perdus et volés, je les dénombre encore. Presque tous m'avaient vue naître.

Il y eut un temps où, avant de savoir lire, je me logeais en boule entre deux tomes du Larousse comme un chien dans sa niche. Labiche et Daudet se sont insinués, tôt, dans mon enfance heureuse, maîtres condescendants qui jouent avec un élève familier. Mérimée vint en même temps, séduisant et dur, et qui éblouit parfois mes huit ans d'une lumière inintelligible. *Les Misérables* aussi, oui, *Les Misérables,* malgré Gavroche ; mais je parle là d'une passion raisonneuse qui connut des froideurs et de longs détachements. Point d'amour entre Dumas et moi, sauf que le *Collier de la Reine* rutila, quelques nuits, dans mes songes, au col condamné de Jeanne de la Motte. Ni l'enthousiasme fraternel, ni l'étonnement désapprobateur de mes parents n'obtinrent que je prisse de l'intérêt aux Mousquetaires...

De livres enfantins, il n'en fut jamais question. Amoureuse de la Princesse en son char, rêveuse sous un si long croissant de lune, et de la Belle qui dormait au bois, entre ses pages prostrée ; éprise du Seigneur Chat botté d'entonnoirs, j'essayai de retrouver dans le texte de Perrault les noirs de velours, l'éclair d'argent, les ruines, les cavaliers, les chevaux aux petits pieds de Gustave Doré ; au bout de deux pages, je retournais, déçue, à Doré. Je n'ai lu l'aventure de la Biche, de la Belle, que dans les fraîches images de Walter Crane. Les gros caractères du texte couraient de l'un à l'autre tableau comme le réseau de tulle uni qui porte les médaillons espacés d'une dentelle. Pas un mot n'a franchi le seuil que je lui barrais. Où s'en vont, plus tard, cette volonté énorme d'ignorer, cette force tranquille employée à bannir et à s'écarter ?...

Des livres, des livres, des livres... Ce n'est pas que je lusse beaucoup. Je lisais et relisais les mêmes. Mais tous m'étaient nécessaires. Leur présence, leur odeur, les lettres de leurs titres et le grain de leur cuir... Les plus hermétiques ne m'étaient-ils pas les plus chers ? Voilà longtemps que j'ai oublié l'auteur d'une Encyclopédie habillée de rouge, mais les références alphabétiques indiquées sur chaque tome composent indélébilement un mot magique : *Aphbicécladiggalhymaroidphorebstevanzy.* Que j'aimai ce Guizot, de vert et d'or paré, jamais déclos ! Et ce *Voyage d'Anacharsis* inviolé ! Si l'*Histoire du Consulat et de l'Empire* échoua un jour sur les quais, je gage qu'une pancarte mentionna fièrement son « état de neuf »...

Les dix-huit volumes de Saint-Simon se relayaient au chevet de ma mère, la nuit ; elle y trouvait des plaisirs renaissants, et s'étonnait qu'à huit ans je ne les partageasse pas tous.

– Pourquoi ne lis-tu pas Saint-Simon ? me demandait-elle. C'est curieux de voir le temps qu'il faut à des enfants pour adopter des livres intéressants !

Beaux livres que je lisais, beaux livres que je ne lisais pas, chaud revêtement des murs du logis natal, tapisserie dont mes yeux initiés flattaient la bigarrure cachée... J'y connus, bien avant l'âge de l'amour, que l'amour est compliqué et tyrannique et même encombrant, puisque ma mère lui chicanait sa place.

– C'est beaucoup d'embarras, tant d'amour, dans ces livres, disait-elle. Mon pauvre Minet-Chéri, les gens ont d'autres chats à fouetter, dans la vie. Tous ces amoureux que tu vois dans les livres, ils n'ont donc jamais ni enfants à élever, ni jardin à soigner ? Minet-Chéri, je te fais juge : est-ce que vous m'avez jamais, toi et tes frères, entendue rabâcher autour de l'amour comme ces gens font dans les livres ? Et pourtant je pourrais réclamer voix au chapitre, je pense ; j'ai eu deux maris et quatre enfants !

Les tentants abîmes de la peur, ouverts dans maint roman, grouillaient suffisamment, si je m'y penchais, de fantômes classiquement blancs, de sorciers, d'ombres, d'animaux maléfiques, mais cet au-delà ne s'agrippait pas, pour monter jusqu'à moi, à mes tresses pendantes, contenus qu'ils étaient par quelques mots conjurateurs...

– Tu as lu cette histoire de fantôme, Minet-Chéri ? Comme c'est joli, n'est-ce pas ? Y a-t-il quelque chose de plus joli que cette page où le fantôme se promène à minuit, sous la lune, dans le cimetière ? Quand l'auteur dit, tu sais, que la lumière de la lune passait au travers du fantôme et qu'il ne faisait pas d'ombre sur l'herbe... Ce doit être ravissant, un fantôme. Je voudrais bien en voir un, je t'appellerais. Malheureusement ils n'existent pas. Si je pouvais me faire fantôme après ma vie, je n'y manquerais pas, pour ton plaisir et pour le mien. Tu as lu aussi cette stupide histoire d'une morte qui se venge ? Se venger, je vous demande un peu ! Ce ne serait pas la peine de mourir, si on ne devenait pas plus raisonnable après qu'avant. Les morts, va, c'est un bien tranquille voisinage. Je n'ai pas de tracas avec mes voisins vivants, je me charge de n'en avoir jamais avec mes voisins morts !

Je ne sais quelle froideur littéraire, saine à tout prendre, me garda du délire romanesque, et me porta – un peu plus tard, quand j'affrontai tels livres dont le pouvoir éprouvé semblait infaillible – à raisonner quand je n'aurais dû être qu'une victime enivrée. Imitais-je encore en cela ma mère, qu'une candeur particulière inclinait à nier le mal, cependant que sa curiosité le cherchait et le contemplait, pêle-mêle avec le bien, d'un œil émerveillé ?

– Celui-ci ? Celui-ci n'est pas un mauvais livre, Minet-Chéri, me disait-elle. Oui, je sais bien, il y a cette scène, ce chapitre... Mais c'est du roman. Ils sont à court d'inventions, tu comprends, les écrivains, depuis le temps. Tu aurais pu attendre un an ou deux, avant de le lire... Que veux-tu ! débrouille-toi là-dedans, Minet-Chéri. Tu es assez intelligente pour garder pour toi ce que tu comprendras trop... Et peut-être n'y a-t-il pas de mauvais livres...

Il y avait pourtant ceux que mon père enfermait dans son secrétaire en bois de thuya. Mais il enfermait surtout le nom de l'auteur.

– Je ne vois pas d'utilité à ce que les enfants lisent Zola.

Zola l'ennuyait, et plutôt que d'y chercher une raison de nous le permettre ou de nous le défendre, il mettait à l'index un Zola intégral, massif, accru périodiquement d'alluvions jaunes.

– Maman, pourquoi est-ce que je ne peux pas lire Zola ?

Les yeux gris, si malhabiles à mentir, me montraient leur perplexité :

– J'aime mieux, évidemment, que tu ne lises pas certains Zola...

– Alors, donne-moi ceux qui ne sont pas « certains » ?

Elle me donna *La Faute de l'abbé Mouret* et *Le Docteur Pascal,* et *Germinal.* Mais je voulus, blessée qu'on verrouillât, en défiance de moi, un coin de cette maison où les portes battaient, où les chats entraient la nuit, où la cave et le pot à beurre se vidaient mystérieusement, – je voulus les autres. Je les eus. Si elle en garde, après, de la honte, une fille de quatorze ans n'a ni peine ni mérite à tromper des parents au cœur pur. Je m'en allai au jardin, avec mon premier livre dérobé. Une assez douceâtre histoire d'hérédité l'emplissait, mon Dieu, comme plusieurs autres Zola. La cousine robuste et bonne cédait son cousin aimé à une malingre amie, et tout se fût passé comme sous Ohnet, ma foi, si la chétive épouse n'avait connu la joie de mettre un enfant au monde. Elle lui donnait le jour soudain, avec un luxe brusque et cru de détails, une minutie anatomique, une complaisance dans la couleur, l'attitude, le cri, où je ne reconnus rien de ma tranquille compétence de jeune fille des champs. Je me sentis crédule, effarée, menacée dans mon destin de petite femelle... Amours des bêtes paissantes, chats coiffant les chattes comme des fauves leur proie, précision paysanne, presque austère, des fermières parlant de leur taure vierge ou de leur fille en mal d'enfant, je vous appelai à mon aide. Mais j'appelai surtout la voix conjuratrice :

– Quand je t'ai mise au monde, toi la dernière, Minet-Chéri, j'ai souffert trois jours et deux nuits. Pendant que je te portais, j'étais grosse comme une tour. Trois jours, ça paraît long... Les bêtes nous font honte, à nous autres femmes qui ne savons plus enfanter joyeusement. Mais je n'ai jamais regretté ma peine : on dit que les enfants, portés comme toi si haut, et lents à descendre vers la lumière, sont toujours des enfants très chéris, parce qu'ils ont voulu se loger tout près du cœur de leur mère, et ne la quitter qu'à regret...

En vain je voulais que les mots doux de l'exorcisme, rassemblés à la hâte, chantassent à mes oreilles : un bourdonnement argentin m'assourdissait. D'autres mots, sous mes yeux, peignaient la chair écartelée, l'excrément, le sang souillé... Je réussis à lever la tête, et vis qu'un jardin bleuâtre, des murs couleur de fumée vacillaient étrangement sous un ciel devenu jaune... Le gazon me reçut, étendue et molle comme un de ces petits lièvres que les braconniers apportaient, frais tués, dans la cuisine.

Quand je repris conscience, le ciel avait recouvré son azur, et je respirais, le nez frotté d'eau de Cologne, aux pieds de ma mère.

– Tu vas mieux, Minet-Chéri ?

– Oui... je ne sais pas ce que j'ai eu...

Les yeux gris, par degrés rassurés, s'attachaient aux miens.

– Je le sais, moi... Un bon petit coup de doigt-de-Dieu sur la tête, bien appliqué...

Je restais pâle et chagrine, et ma mère se trompa :

– Laisse donc, laisse donc... Ce n'est pas si terrible, va, c'est loin d'être terrible, l'arrivée d'un enfant. Et c'est beaucoup plus beau dans la réalité. La peine qu'on y prend s'oublie si vite, tu verras !... La preuve que toutes les femmes l'oublient, c'est qu'il n'y a jamais que les hommes – est-ce que ça le regardait, voyons, ce Zola ? – qui en font des histoires...

PROPAGANDE

QUAND j'eus huit, neuf, dix ans, mon père songea à la politique. Né pour plaire et pour combattre, improvisateur et conteur d'anecdotes, j'ai pensé plus tard qu'il eût pu réussir et séduire une Chambre, comme il charmait une femme. Mais, de même que sa générosité sans borne nous ruina tous, sa confiance enfantine l'aveugla. Il crut à la sincérité de ses partisans, à la loyauté de son adversaire, en l'espèce M. Merlou. C'est M. Pierre Merlou, ministre éphémère plus tard, qui évinça mon père du conseil général et d'une candidature à la députation ; grâces soient rendues à Sa défunte Excellence !

Une petite perception de l'Yonne ne pouvait suffire à maintenir, dans le repos et la sagesse, un capitaine de zouaves amputé de la jambe, vif comme la poudre et affligé de philanthropie. Dès que le mot « politique » obséda son oreille d'un pernicieux cliquetis, il songea :

« Je conquerrai le peuple en l'instruisant ; j'évangéliserai la jeunesse et l'enfance aux noms sacrés de l'histoire naturelle, de la physique et de la chimie élémentaires, je m'en irai brandissant la lanterne à projections et le microscope, et distribuant dans les écoles des villages les instructifs et divertissants tableaux coloriés où le charançon, grossi vingt fois, humilie le vautour réduit à la taille d'une abeille... Je ferai des conférences populaires contre l'alcoolisme d'où le Poyaudin et le Forterrat, à leur habitude buveurs endurcis, sortiront convertis et lavés dans leurs larmes !... »

Il le fit comme il le pensait. La victoria défraîchie et la jument noire âgée chargèrent, les temps venus, lanterne à projections, cartes peintes, éprouvettes, tubes coudés, le futur candidat, ses béquilles, et moi : un automne froid et calme pâlissait le ciel sans nuages, la jument prenait le pas à chaque côte et je sautais à terre, pour cueillir aux haies la prunelle bleue, le bonnet-carré couleur de corail, et ramasser le champignon blanc, rosé dans sa conque comme un coquillage. Des bois amaigris que nous longions sortait un parfum de truffe fraîche et de feuille macérée.

Une belle vie commençait pour moi. Dans les villages, la salle d'école, vidée l'heure d'avant, offrait aux auditeurs ses bancs usés ; j'y reconnaissais le tableau noir, les poids et mesures, et la triste odeur d'enfants sales. Une lampe à pétrole, oscillant au bout de sa chaîne, éclairait les visages de ceux qui y venaient, défiants et sans sourire, recueillir la bonne parole. L'effort d'écouter plissait des fronts, entrouvrait des bouches de martyrs. Mais distante, occupée sur l'estrade à de graves fonctions, je savourais l'orgueil qui gonfle le comparse enfant chargé de présenter au jongleur les œufs de plâtre, le foulard de soie et les poignards à lame bleue.

Une torpeur consternée, puis des applaudissements timides saluaient la fin de la « causerie instructive ». Un maire chaussé de sabots félicitait mon père comme s'il venait d'échapper à une condamnation infamante. Au seuil de la salle vide, des enfants attendaient le passage du « monsieur qui n'a qu'une jambe ». L'air froid et nocturne se plaquait à mon visage échauffé comme un mouchoir humide, imbibé d'une forte odeur de labour fumant, d'étable et d'écorce de chêne. La jument attelée, noire dans le noir, hennissait vers nous, et dans le halo d'une des lanternes tournait l'ombre cornue de sa tête... Mais mon père, magnifique, ne quittait pas ses mornes évangélisés sans offrir à boire, tout au moins, au conseil municipal. Au « débit de boisson » le plus proche, le vin chaud bouillait sur un feu de braise, soulevant sur sa houle empourprée des bouées de citron et des épaves de cannelle. La capiteuse vapeur, quand j'y pense, mouille encore mes narines... Mon père n'acceptait, en bon Méridional, que de la « gazeuse », tandis que sa fille...

– Cette petite demoiselle va se réchauffer avec un doigt de vin chaud !

Un doigt ? Le verre tendu, si le cafetier relevait trop tôt le pichet à bec, je savais commander : « Bord à bord ! » et ajouter : « A la vôtre ! », trinquer et lever le coude, et taper sur la table le fond de mon verre vide, et torcher d'un revers de main mes moustaches de petit bourgogne sucré, et dire, en poussant mon verre du côté du pichet : « Ça fait du bien par où ça passe ! » Je connaissais les bonnes manières.

Ma courtoisie rurale déridait les buveurs, qui entrevoyaient soudain en mon père un homme pareil à eux – sauf la jambe coupée – et « bien causant, peut-être un peu timbré »... La pénible séance finissait en rires, en tapes sur l'épaule, en histoires énormes, hurlées par des voix comme en ont les chiens de berger qui couchent dehors toute l'année... Je m'endormais, parfaitement ivre, la tête sur la table, bercée par un tumulte bienveillant. De durs bras de laboureurs, enfin, m'enlevaient et me déposaient au fond de la voiture, tendrement, bien roulée dans le châle tartan rouge qui sentait l'iris et maman...

Dix kilomètres, parfois quinze, un vrai voyage sous les étoiles haletantes du ciel d'hiver, au trot de la jument bourrée d'avoine... Y a-t-il des gens qui restent froids, au lieu d'avoir dans la gorge le nœud d'un sanglot enfantin, quand ils entendent, sur une route sèche de gel, le trot d'un cheval, le glapissement d'un renard qui chasse, le rire d'une chouette blessée au passage par le feu des lanternes ?...

Les premières fois, au retour, ma prostration béate étonna ma mère, qui me coucha vite, en reprochant à mon père ma fatigue. Puis elle découvrit un soir dans mon regard une gaieté un peu bien bourguignonne, et dans mon haleine le secret de ma goguenardise, hélas !...

La victoria repartit sans moi le lendemain, revint le soir et ne repartit plus.

– Tu as renoncé à tes conférences ? demanda, quelques jours après, ma mère à mon père.

Il glissa vers moi un coup d'œil mélancolique et flatteur, leva l'épaule :

– Parbleu ! Tu m'as enlevé mon meilleur agent électoral...

PAPA ET MADAME BRUNEAU

NEUF heures, l'été, un jardin que le soir agrandit, le repos avant le sommeil. Des pas pressés écrasent le gravier, entre la terrasse et la pompe, entre la pompe et la cuisine. Assise près de terre sur un petit « banc de pied » dur au séant, j'appuie ma tête, comme tous les soirs, contre les genoux de ma mère, et je devine, les yeux fermés : « C'est le gros pas de Morin qui revient d'arroser les tomates... C'est le pas de Mélie qui va vider les épluchures... Un petit pas à talons : voilà Mme Bruneau qui vient causer avec maman... » Une jolie voix tombe de haut, sur moi :

– Minet-Chéri, si tu disais bonsoir gentiment à Mme Bruneau ?

– Elle dort à moitié, laissez-la, cette petite...

– Minet-Chéri, si tu dors, il faut aller te coucher.

– Encore un peu, maman, encore un peu ? Je n'ai pas sommeil...

Une main fine, dont je chéris les trois petits durillons qu'elle doit au râteau, au sécateur et au plantoir, lisse mes cheveux, pince mon oreille :

– Je sais, je sais que les enfants de huit ans n'ont jamais sommeil.

Je reste, dans le noir, contre les genoux de maman. Je ferme, sans dormir, mes yeux inutiles. La robe de toile que je presse de ma joue sent le gros savon, la cire dont on lustre les fers à repasser, et la violette. Si je m'écarte un peu de cette fraîche robe de jardinière, ma tête plonge tout de suite dans une zone de parfum qui nous baigne comme une onde sans plis : le tabac blanc ouvre à la nuit ses tubes étroits de parfum et ses corolles en étoile. Un rayon, en touchant le noyer, l'éveille : il clapote, remué jusqu'aux basses branches par une mince rame de lune. Le vent superpose, à l'odeur du tabac blanc, l'odeur amère et froide des petites noix véreuses qui choient sur le gazon.

Le rayon de lune descend jusqu'à la terrasse dallée, y suscite une voix veloutée de baryton, celle de mon père. Elle chante *Page, écuyer, capitaine*. Elle chantera sans doute après :

Je pense à toi, je te vois, je t'adore
A tout instant, à toute heure, en tous lieux...

à moins qu'elle n'entonne, puisque Mme Bruneau aime la musique triste :

Las de combattre, ainsi chantait un jour,
Aux bords glacés du fatal Borysthène...

Mais, ce soir, elle est nuancée, et agile, et basse à faire frémir, pour regretter le temps

Où la belle reine oubliait
Son front couronné pour son page,
Qu'elle adorait !

– Le capitaine a vraiment une voix pour le théâtre, soupire Mme Bruneau.

– S'il avait voulu... dit maman orgueilleuse. Il est doué pour tout.

Le rayon de la lune, qui monte, atteint une raide silhouette d'homme debout sur la terrasse, une main, verte à force d'être blanche, qui étreint un barreau de la grille. La béquille et la canne dédaignées s'accotent au mur. Mon père se repose comme un héron, sur sa jambe unique, et chante.

— Ah ! soupire encore Mme Bruneau, chaque fois que j'écoute chanter le capitaine, je deviens triste. Vous ne vous rendez pas compte de ce que c'est qu'une vie comme la mienne... Vieillir près d'un mari comme mon pauvre mari... Me dire que je n'aurai pas connu l'amour...

— Madame Bruneau, interrompt la voix émouvante, vous savez que je maintiens ma proposition ?

J'entends dans l'ombre le sursaut de Mme Bruneau et son piétinement sur le gravier :

— Le vilain homme ! Le vilain homme ! Capitaine, vous me ferez fuir !

— Quarante sous et un paquet de tabac, dit la belle voix imperturbable, parce que c'est vous. Quarante sous et un paquet de tabac pour vous faire connaître l'amour, vous trouvez que c'est trop cher ? Madame Bruneau, pas de lésinerie. Quand j'aurai augmenté mes prix, vous regretterez mes conditions actuelles : quarante sous et un paquet de tabac...

J'entends les cris pudiques de Mme Bruneau, sa fuite de petite femme boulotte et molle, aux tempes déjà grises, j'entends le blâme indulgent de ma mère, qui nomme toujours mon père par notre nom de famille :

— Oh ! Colette... Colette...

La voix de mon père lance encore vers la lune un couplet de romance ; et je cesse peu à peu de l'entendre, et j'oublie, endormie contre des genoux soigneux de mon repos, Mme Bruneau, et les gauloises taquineries qu'elle vient ici chercher, les soirs de beau temps...

Mais le lendemain, mais tous les jours qui suivent, notre voisine, Mme Bruneau, a beau guetter, tendre la tête et s'élancer pour traverser la rue, comme sous une averse, elle n'échappe pas à son ennemi, à son idole.

Debout et fier sur une patte, ou assis et roulant d'une seule main sa cigarette, ou bastionné traîtreusement par le journal *Le Temps*, déployé, il est là. Qu'elle coure, tenant des deux mains sa jupe comme à la contredanse, qu'elle rase sans bruit les maisons, abritée sous son en-cas violet, il lui criera, engageant et léger :

– Quarante sous et un paquet de tabac !

Il y a des âmes capables de cacher longtemps leur blessure, et leur tremblante complaisance pour l'idée du péché. C'est ce que fit Mme Bruneau. Elle supporta, tant qu'elle le put, avec l'air d'en rire, l'offre scandaleuse et la cynique œillade. Puis un jour, laissant là sa petite maison, emportant ses meubles et son mari dérisoire, elle déménagea et s'en fut habiter très loin de nous, tout là-haut, à Bel-Air.

MA MÈRE ET LES BÊTES

UNE série de bruits brutaux, le train, les fiacres, les omnibus, c'est tout ce que relate ma mémoire, d'un bref passage à Paris quand j'avais six ans. Cinq ans plus tard, je ne retrouve d'une semaine parisienne qu'un souvenir de chaleur sèche, de soif haletante, de fiévreuse fatigue, et de puces dans une chambre d'hôtel, rue Saint-Roch. Je me souviens aussi que je levais constamment la tête, vaguement oppressée par la hauteur des maisons, et qu'un photographe me conquit en me nommant, comme il nommait, je pense, tous les enfants, « merveille ». Cinq années provinciales s'écoulent encore, et je ne pense guère à Paris.

Mais à seize ans, revenant en Puisaye après une quinzaine de théâtres, de musées, de magasins, je rapporte, parmi des souvenirs de coquetterie, de gourmandise, mêlés à des regrets, à des espoirs, à des mépris aussi fougueux, aussi candides et dégingandés que moi-même, l'étonnement, l'aversion mélancolique de ce que je nommais les maisons sans bêtes. Ces cubes sans jardins, ces logis sans fleurs où nul chat ne miaule derrière la porte de la salle à manger, où l'on n'écrase pas, devant la cheminée, un coin du chien traînant comme un tapis, ces appartements privés d'esprits familiers, où la main, en quête de cordiale caresse, se heurte au marbre, au bois, au velours inanimés, je les quittai avec des sens affamés, le besoin véhément de toucher, vivantes, des toisons ou des feuilles, des plumes tièdes, l'émouvante humidité des fleurs...

Comme si je les découvrais ensemble, je saluai, inséparables, ma mère, le jardin et la ronde des bêtes. L'heure de mon retour était justement celle de l'arrosage, et je chéris encore cette sixième heure du soir, l'arrosoir vert qui mouillait la robe de satinette bleue, la vigoureuse odeur de l'humus, la lumière déclinante qui s'attachait, rose, à la page blanche d'un livre oublié, aux blanches corolles du tabac blanc, aux taches blanches de la chatte dans une corbeille.

Nonoche aux trois couleurs avait enfanté l'avant-veille, Bijou, sa fille, la nuit d'après ; quant à Musette, la havanaise, intarissable en bâtards...

– Va voir, Minet-Chéri, le nourrisson de Musette !

Je m'en fus à la cuisine où Musette nourrissait, en effet, un monstre à robe cendrée, encore presque aveugle, presque aussi gros qu'elle, un fils de chien de chasse qui tirait comme un veau sur les tétines délicates, d'un rose de fraise dans le poil d'argent, et foulait rythmiquement, de ses pattes onglées, un ventre soyeux qu'il eût déchiré, si... si ma mère n'eût taillé et cousu pour lui, dans une ancienne paire de gants blancs, des mitaines de daim qui lui montaient jusqu'au coude. Je n'ai jamais vu un chiot de dix jours ressembler autant à un gendarme.

Que de trésors éclos en mon absence ! Je courus à la grande corbeille débordante de chats indistincts. Cette oreille orange était de Nonoche. Mais à qui ce panache de queue noire, angora ? A la seule Bijou, sa fille, intolérante comme une jolie femme. Une longue patte sèche et fine, comme une patte de lapin noir, menaçait le ciel ; un tout petit chat tavelé comme une genette et qui dormait, repu, le ventre en l'air sur ce désordre, semblait assassiné... Je démêlais, heureuse, ces nourrices et ces nourrissons bien léchés, qui fleuraient le foin et le lait frais, la fourrure soignée, et je découvrais que Bijou, en trois ans quatre fois mère, qui portait à ses mamelles un chapelet de nouveau-nés, suçait elle-même, avec un bruit maladroit de sa langue trop large et un ronron de feu de cheminée, le lait de la vieille Nonoche inerte d'aise, une patte sur les yeux.

L'oreille penchée, j'écoutais, celui-ci grave, celui-là argentin, le double ronron, mystérieux privilège du félin, rumeur d'usine lointaine, bourdonnement de coléoptère prisonnier, moulin délicat dont le sommeil profond arrête la meule. Je n'étais pas surprise de cette chaîne de chattes s'allaitant l'une à l'autre. A qui vit aux champs et se sert de ses yeux, tout devient miraculeux et simple. Il y a beau temps que nous trouvions naturel qu'une lice nourrît un jeune chat, qu'une chatte choisît, pour dormir, le dessus de la cage où chantaient des serins verts confiants et qui parfois tiraient du bec, au profit de leur nid, quelques poils soyeux de la dormeuse.

Une année de mon enfance se dévoua à capturer, dans la cuisine ou dans l'écurie à la vache, les rares mouches d'hiver, pour la pâture de deux hirondelles, couvée d'octobre jetée bas par le vent. Ne fallait-il pas sauver ces insatiables au bec large, qui dédaignaient toute proie morte ? C'est grâce à elles que je sais combien l'hirondelle apprivoisée passe, en sociabilité insolente, le chien le plus gâté. Les deux nôtres vivaient perchées sur l'épaule, sur la tête, nichées dans la corbeille à ouvrage, courant sous la table comme des poules et piquant du bec le chien interloqué, piaillant au nez du chat qui perdait contenance... Elles venaient à l'école au fond de ma poche, et retournaient à la maison par les airs. Quand la faux luisante de leurs ailes grandit et s'affûta, elles disparurent à toute heure dans le haut du ciel printanier, mais un seul appel aigu : « Petî-î-î-tes ! » les rabattait fendant le vent comme deux flèches, et elles atterrissaient dans mes cheveux, cramponnées de toutes leurs serres courbes, couleur d'acier noir.

Que tout était féerique et simple, parmi cette faune de la maison natale... Vous ne pensiez pas qu'un chat mangeât des fraises ? Mais je sais bien, pour l'avoir vu tant de fois, que ce Satan noir, Babou, interminable et sinueux comme une anguille, choisissait en gourmet, dans le potager de Mme Pomié, les plus mûres des « caprons blancs » et des « belles-de-juin ». C'est le même qui respirait, poétique, absorbé, des violettes épanouies. On vous a conté que l'araignée de Pellisson fut mélomane ? Ce n'est pas moi qui m'en ébahirai. Mais je verserai ma mince contribution au trésor des connaissances humaines, en mentionnant l'araignée que ma mère avait — comme disait papa — dans son plafond, cette même année qui fêta mon seizième printemps. Une belle araignée des jardins, ma foi, le ventre en gousse d'ail, barré d'une croix historiée. Elle dormait ou chassait, le jour, sur sa toile tendue au plafond de la chambre à coucher. La nuit, vers trois heures, au moment où l'insomnie quotidienne rallumait la lampe, rouvrait le livre au chevet de ma mère, la grosse araignée s'éveillait aussi, prenait ses mesures d'arpenteur et quittait le plafond au bout d'un fil, droit au-dessus de la veilleuse à huile où tiédissait, toute la nuit, un bol de chocolat. Elle descendait, lente, balancée mollement comme une grosse perle, empoignait de ses huit pattes le bord de la tasse, se penchait tête première, et buvait jusqu'à satiété. Puis elle remontait, lourde de chocolat crémeux, avec les haltes, les méditations qu'imposent un ventre trop chargé, et reprenait sa place au centre de son gréement de soie...

Couverte encore d'un manteau de voyage, je rêvais, lasse, enchantée, reconquise, au milieu de mon royaume.

— Où est ton araignée, maman ?

Les yeux gris de ma mère, agrandis par les lunettes, s'attristèrent :

— Tu reviens de Paris pour me demander des nouvelles de l'araignée, ingrate fille ?

Je baissai le nez, maladroite à aimer, honteuse de ce que j'avais de plus pur :

— Je pensais quelquefois, la nuit, à l'heure de l'araignée, quand je ne dormais pas...

— Minet-Chéri, tu ne dormais pas ? On t'avait donc mal couchée ?... L'araignée est dans sa toile, je suppose. Mais viens voir si ma chenille est endormie. Je crois bien qu'elle va devenir chrysalide, je lui ai mis une petite caisse de sable sec. Une chenille de paon-de-nuit, qu'un oiseau avait dû blesser au ventre, mais elle est guérie...

La chenille dormait peut-être, moulée selon la courbe d'une branche de lyciet. Son ravage, autour d'elle, attestait sa force. Il n'y avait que lambeaux de feuilles, pédoncules rongés, surgeons dénudés. Dodue, grosse comme un pouce, longue de plus d'un décimètre, elle gonflait ses bourrelets d'un vert de chou, cloutés de turquoises saillantes et poilues. Je la détachai doucement et elle se tordit, coléreuse, montrant son ventre plus clair et toutes les petites pattes griffues, qui se collèrent comme des ventouses à la branche où je la reposai.

— Maman, elle a tout dévoré !

Les yeux gris, derrière les lunettes, allaient du lyciet tondu à la chenille, de la chenille à moi, perplexes :

— Eh ! qu'est-ce que j'y peux faire ? D'ailleurs, le lyciet qu'elle mange, tu sais, c'est lui qui étouffe le chèvrefeuille...

— Mais la chenille mangera aussi le chèvrefeuille...

— Je ne sais pas... Mais que veux-tu que j'y fasse ? Je ne peux pourtant pas la tuer, cette bête...

Ma mère et les bêtes

Tout est encore devant mes yeux, le jardin aux murs chauds, les dernières cerises sombres pendues à l'arbre, le ciel palmé de longues nuées roses, – tout est sous mes doigts : révolte vigoureuse de la chenille, cuir épais et mouillé des feuilles d'hortensia, – et la petite main durcie de ma mère. Le vent, si je le souhaite, froisse le raide papier du faux-bambou et chante, en mille ruisseaux d'air divisés par les peignes de l'if, pour accompagner dignement la voix qui a dit ce jour-là, et tous les autres jours jusqu'au silence de la fin, des paroles qui se ressemblaient :

– Il faut soigner cet enfant... Ne peut-on sauver cette femme ? Est-ce que ces gens ont à manger chez eux ? Je ne peux pourtant pas tuer cette bête...

ÉPITAPHES

— QU'EST-CE qu'il était, quand il était vivant, Astoniphronque Bonscop ?

Mon frère renversa la tête, noua ses mains autour de son genou, et cligna des yeux pour détailler, dans un lointain inaccessible à la grossière vue humaine les traits oubliés d'Astoniphronque Bonscop.

— Il était tambour de ville. Mais, dans sa maison, il rempaillait les chaises. C'était un gros type... peuh... pas bien intéressant. Il buvait et il battait sa femme.

— Alors, pourquoi lui as-tu mis « bon père, bon époux » sur son épitaphe ?

— Parce que ça se met quand les gens sont mariés.

— Qui est-ce qui est encore mort depuis hier ?

— Mme Egrémimy Pulitien.

— Qui c'était, Mme Egrémimy ?...

— Egrémimy, avec un y à la fin. Une dame, comme ça, toujours en noir. Elle portait des gants de fil...

Et mon frère se tut, en sifflant entre ses dents agacées par l'idée des gants de fil frottant sur le bout des ongles.

Il avait treize ans, et moi sept. Il ressemblait, les cheveux noirs taillés à la malcontent et les yeux d'un bleu pâle, à un jeune modèle italien. Il était d'une douceur extrême et totalement irréductible.

— A propos, reprit-il, tiens-toi prête demain, à dix heures. Il y a un service.

– Quel service ?

– Un service pour le repos de l'âme de Lugustu Trutrumèque.

– Le père ou le fils ?

– Le père.

– A dix heures, je ne peux pas, je suis à l'école.

– Tant pis pour toi, tu ne verras pas le service. Laisse-moi seul, il faut que je pense à l'épitaphe de Mme Egrémimy Pulitien.

Malgré cet avertissement qui sonnait comme un ordre, je suivis mon frère au grenier. Sur un tréteau, il coupait et collait des feuilles de carton blanc en forme de dalles plates, de stèles arrondies par le haut, de mausolées rectangulaires sommés d'une croix. Puis, en capitales ornées, il y peignait à l'encre de Chine des épitaphes, brèves ou longues, qui perpétuaient, en pur style « marbrier », les regrets des vivants et les vertus d'un gisant supposé.

« *Ici repose Astoniphronque Bonscop, décédé le 22 juin 1884, à l'âge de cinquante-sept ans. Bon père, bon époux, le ciel l'attendait, la terre le regrette. Passant, priez pour lui !* »

Ces quelques lignes barraient de noir une jolie pierre tombale en forme de porte romane, avec saillies simulées à l'aquarelle. Un étai, pareil à celui qui assure l'équilibre des cadres-chevalet, l'inclinait gracieusement en arrière.

– C'est un peu sec, dit mon frère. Mais, un tambour de ville... Je me rattraperai sur Mme Egrémimy.

Il consentit à me lire une esquisse :

– « *O ! toi le modèle des épouses chrétiennes ! Tu meurs à dix-huit ans, quatre fois mère ! Ils ne t'ont pas retenue, les gémissements de tes enfants en pleurs ! Ton commerce périclite, ton mari cherche en vain l'oubli !...* » J'en suis là.

– Ça commence bien. Elle avait quatre enfants, à dix-huit ans ?

– Puisque je te le dis.

– Et son commerce périclique ? Qu'est-ce que c'est, un commerce périclique ?

Mon frère haussa les épaules.

– Tu ne peux pas comprendre, tu n'as que sept ans. Mets la colle forte au bain-marie. Et prépare-moi deux petites couronnes de perles bleues, pour la tombe des jumeaux Azioume, qui sont nés et morts le même jour.

– Oh !... Ils étaient gentils ?

– Très gentils, dit mon frère. Deux garçons, blonds, tout pareils. Je leur fais un truc nouveau, deux colonnes tronquées en rouleaux de carton, j'imite le marbre dessus, et j'y enfile les couronnes de perles. Ah ! ma vieille...

Il siffla d'admiration et travailla sans parler. Autour de lui, le grenier se fleurissait de petites tombes blanches, un cimetière pour grandes poupées. Sa manie ne comportait aucune parodie irrévérencieuse, aucun faste macabre. Il n'avait jamais noué sous son menton les cordons d'un tablier de cuisine, pour simuler la chasuble, en chantant *Dies irae.* Mais il aimait les champs de repos comme d'autres chérissent les jardins à la française, les pièces d'eau ou les potagers. Il partait de son pas léger, et visitait, à quinze kilomètres à la ronde, tous les cimetières villageois, qu'il me racontait en explorateur.

– A Escamps, ma vieille, c'est chic, il y a un notaire, enterré dans une chapelle grande comme la cabane du jardinier, avec une porte vitrée, par où on voit un autel, des fleurs, un coussin par terre et une chaise en tapisserie.

– Une chaise ! Pour qui ?

– Pour le mort, je pense, quand il revient la nuit.

Il avait conservé, de la très petite enfance, cette aberration douce, cette paisible sauvagerie qui garde l'enfant tout jeune contre la peur de la mort et du sang. A treize ans, il ne faisait pas beaucoup de différence entre un vivant et un mort.

Pendant que mes jeux suscitaient devant moi, transparents et visibles, des personnages imaginés que je saluais, à qui je demandais des nouvelles de leurs proches, mon frère, inventant des morts, les traitait en toute cordialité, et les paraît de son mieux, l'un coiffé d'une croix à branches de rayons, l'autre couché sous une ogive gothique, et celui-là couvert de la seule épitaphe qui louait sa vie terrestre...

Un jour vint où le plancher râpeux du grenier ne suffit plus. Mon frère voulut, pour honorer ses blanches tombes, la terre molle et odorante, le gazon véridique, le lierre, le cyprès... Dans le fond du jardin, derrière le bosquet de thuyas, il emménagea ses défunts aux noms sonores, dont la foule débordait la pelouse, semée de têtes de soucis et de petites couronnes de perles. Le diligent fossoyeur clignait son œil d'artiste.

– Comme ça fait bien !

Au bout d'une semaine, ma mère passa par là, s'arrêta, saisie, regarda de tous ses yeux – un binocle, un face à main, des lunettes pour le lointain – cria d'horreur, en violant du pied toutes les sépultures...

– Cet enfant finira dans un cabanon ! C'est du délire, c'est du sadisme, c'est du vampirisme, c'est du sacrilège, c'est... je ne sais même pas ce que c'est !...

Elle contemplait le coupable, par-dessus l'abîme qui sépare une grande personne d'un enfant. Elle cueillit, d'un râteau irrité, dalles, couronnes et colonnes tronquées. Mon frère souffrit sans protestations qu'on traînât son œuvre aux gémonies, et, devant la pelouse nue, devant la haie de thuyas qui versait son ombre à la terre fraîchement remuée, il me prit à témoin, avec une mélancolie de poète :

– Crois-tu que c'est triste, un jardin sans tombeaux ?

LA « FILLE DE MON PÈRE »

QUAND j'eus quatorze, quinze ans – des bras longs, le dos plat, le menton trop petit, des yeux pers que le sourire rendait obliques – ma mère se mit à me considérer, comme on dit, d'un drôle d'air. Elle laissait parfois tomber sur ses genoux son livre ou son aiguille, et m'envoyait par-dessus ses lunettes un regard gris-bleu étonné, quasi soupçonneux.

– Qu'est-ce que j'ai encore fait, maman ?

– Eh... tu ressembles à la fille de mon père.

Puis elle fronçait les sourcils et reprenait l'aiguille ou le livre. Un jour, elle ajouta, à cette réponse devenue traditionnelle :

– Tu sais qui est la fille de mon père ?

– Mais c'est toi, naturellement !

– Non, mademoiselle, ce n'est pas moi.

– Oh !... Tu n'es pas la fille de ton père ?

Elle rit, point scandalisée d'une liberté de langage qu'elle encourageait :

– Mon Dieu, si ! Moi comme les autres, va. Il en a eu... qui sait combien ? Moi-même je n'en ai pas connu la moitié. Irma, Eugène et Paul, et moi, tout ça venait de la même mère, que j'ai si peu connue. Mais toi, tu ressembles à la fille de mon père, cette fille qu'il nous apporta un jour à la maison, nouvelle-née, sans seulement prendre la peine de nous dire d'où elle venait, ma foi. Ah ! ce Gorille... Tu vois comme il était laid, Minet-

Chéri ? Eh bien, les femmes se pendaient toutes à lui...

Elle leva son dé vers le daguerréotype accroché au mur, le daguerréotype que j'enferme maintenant dans un tiroir, et qui recèle, sous son tain d'argent, le portrait en buste d'un « homme de couleur » – quarteron, je crois, – haut cravaté de blanc, l'œil pâle et méprisant, le nez long au-dessus de la lippe nègre qui lui valut son surnom.

– Laid, mais bien fait, poursuivit ma mère. Et séduisant, je t'en réponds, malgré ses ongles violets. Je lui en veux seulement de m'avoir donné sa vilaine bouche.

Une grande bouche, c'est vrai, mais bonne et vermeille. Je protestai :

– Oh ! non. Tu es jolie, toi.

– Je sais ce que je dis. Du moins, elle s'arrête à moi, cette lippe... La fille de mon père nous vint quand j'avais huit ans. Le Gorille me dit : « Elevez-la. C'est votre sœur. » Il nous disait *vous*. A huit ans, je ne me trouvai pas embarrassée, car je ne connaissais rien aux enfants. Une nourrice, heureusement, accompagnait la fille de mon père. Mais j'eus le temps, comme je la tenais sur mes bras, de constater que ses doigts ne semblaient pas assez fuselés. Mon père aimait tant les belles mains... Et je modelai séance tenante, avec la cruauté des enfants, ces petits doigts mous qui fondaient entre les miens... La fille de mon père débuta dans la vie par dix petits abcès en boule, cinq à chaque main, au bord de ses jolis ongles bien ciselés. Oui... tu vois comme ta mère est méchante... Une si belle nouvelle-née... Elle criait. Le médecin disait : « Je ne comprends rien à cette inflammation digitale... » et je tremblais. Mais je n'ai rien avoué. Le mensonge est tellement fort chez les enfants... Cela passe généralement, plus tard... Deviens-tu un peu moins menteuse, toi qui grandis, Minet-Chéri ?

C'était la première fois que ma mère m'accusait

de mensonge chronique. Tout ce qu'une adolescente porte en elle de dissimulation perverse ou délicate chancela brusquement sous un profond regard gris, divinateur, désabusé... Mais déjà la main posée sur mon front se retirait, légère, et le regard gris, retrouvant sa douceur, son scrupule, quittait généreusement le mien :

– Je l'ai bien soignée après, tu sais, la fille de mon père... J'ai appris. Elle est devenue jolie, grande, plus blonde que toi et tu lui ressembles, tu lui ressembles... Je crois qu'elle s'est mariée très jeune... Ce n'est pas sûr. Je ne sais rien de plus, parce que mon père l'a emmenée, plus tard, comme il l'avait apportée, sans daigner nous rien dire. Elle a seulement vécu ses premières années avec nous, Eugène, Paul, Irma et moi, et avec Jean le grand singe, dans la maison où mon père fabriquait du chocolat. Le chocolat, dans ce temps-là, ça se faisait avec du cacao, du sucre et de la vanille. En haut de la maison, les briques de chocolat séchaient, posées toutes molles sur la terrasse. Et, chaque matin, des plaques de chocolat révélaient, imprimé en fleurs creuses à cinq pétales, le passage nocturne des chats... Je l'ai regrettée, la fille de mon père, et figure-toi, Minet-Chéri...

La suite de cet entretien manque à ma mémoire. La coupure est aussi brutale que si je fusse, à ce moment, devenue sourde. C'est qu'indifférente à la Fille-de-mon-père, je laissai ma mère tirer de l'oubli les morts qu'elle aimait, et je restai rêveusement suspendue à un parfum, à une image suscités : l'odeur du chocolat en briques molles, la fleur creuse éclose sous les pattes du chat errant.

LA NOCE

HENRIETTE BOISSON ne se mariera pas, je n'ai pas à compter sur elle. Elle pousse devant elle un rond petit ventre dc sept mois, qui ne l'empêche ni de laver le carrelage de sa cuisine, ni d'étendre la lessive sur les cordes et sur la haie de fusains. Ce n'est pas avec un ventre comme celui-là qu'on se marie dans mon pays. Mme Pomié et Mme Léger ont dit vingt fois à ma mère : « Je ne comprends pas que vous gardiez, auprès d'une grande fille comme la vôtre, une domestique qui... une domestique que... »

Mais ma mère a répondu vertement qu'elle se ferait plutôt « montrer au doigt » que de mettre sur le pavé une mère et son petit.

Donc Henriette Boisson ne se mariera pas. Mais Adrienne Septmance, qui tient chez nous l'emploi de femme de chambre, est jolie, vive, et elle chante beaucoup depuis un mois. Elle chante en cousant, épingle à son cou un nœud où le satin s'enlace à la dentelle, autour d'un motif de plomb qui imite la marcassite. Elle plante un peigne à bord de perles dans ses cheveux noirs, et tire, sur son busc inflexible, les plis de sa blouse en vichy, chaque fois qu'elle passe devant un miroir. Ces symptômes ne trompent pas mon expérience. J'ai treize ans et demi et je sais ce que c'est qu'une femme de chambre qui a un amoureux. Adrienne Septmance se mariera-t-elle ? Là est la question.

Chez les Septmance, elles sont quatre filles,

trois garçons, des cousins, le tout abrité sous un chaume ancien et fleuri, au bord d'une route.

La jolie noce que j'aurai là ! Ma mère s'en lamentera huit jours, parlera de mes « fréquentations », de mes « mauvaises manières », menacera de m'accompagner, y renoncera par fatigue et par sauvagerie naturelle...

J'épie Adrienne Septmance. Elle chante, bouscule son travail, court dans la rue, rit haut, sur un ton factice.

Je respire autour d'elle ce parfum commun, qu'on achète ici chez Maumond, le coupeur de cheveux, ce parfum qu'on respire, semble-t-il, avec les amygdales et qui fait penser à l'urine sucrée des chevaux, séchant sur les routes...

— Adrienne, vous sentez le patchouli ! décrète ma mère, qui n'a jamais su ce qu'était le patchouli...

Enfin je rencontre, dans la cuisine, un jeune gars noir sous son chapeau de paille blanche, assis contre le mur et silencieux comme un garçon qui est là pour le bon motif. J'exulte, et ma mère s'assombrit.

— Qui aurons-nous après celle-là ? demanda-t-elle en dînant à mon père.

Mais mon père s'est-il aperçu seulement qu'Adrienne Septmance succédait à Marie Bardin ?

— Ils nous ont invités, ajoute ma mère. Naturellement, je n'irai pas. Adrienne m'a demandé la petite comme demoiselle d'honneur... C'est bien gênant.

« La petite » est debout et dégoise sa tirade préparée :

— Maman, j'irai avec Julie David et toutes les Follet. Tu comprends bien qu'avec toutes les Follet tu n'as pas besoin de te tourmenter, c'est la charrette de Mme Follet qui nous emmène et qui nous ramène et elle a dit que ses filles ne danseraient pas plus tard que dix heures et...

Je rougis et je m'arrête, car ma mère, au lieu de se lamenter, me couvre d'un mépris extrêmement narquois :

– J'ai eu treize ans et demi, dit-elle. Tu n'as pas besoin de te fatiguer davantage. Dis donc simplement : « J'adore les noces de domestiques. »

***

Ma robe blanche à ceinture pourpre, mes cheveux libres qui me tiennent chaud, mes souliers mordorés – trop courts, trop courts – et mes bas blancs, tout était prêt depuis la veille, car mes cheveux eux-mêmes, tressés pour l'ondulation, m'ont tiré les tempes pendant quarante-huit heures.

Il fait beau, il fait torride, un temps de noce aux champs ; la messe n'a pas été trop longue. Le fils Follet m'a donné le bras au cortège, mais après le cortège, que voulez-vous qu'il fasse d'une cavalière de treize ans ?... Mme Follet conduit la charrette qui déborde de nous, de nos rires, de ses quatre filles pareilles en bleu, de Julie David en mohair changeant mauve et rose. Les charrettes dansent sur la route et voici proche l'instant que j'aime le mieux...

D'où me vient ce goût violent du repas des noces campagnardes ? Quel ancêtre me légua, à travers des parents si frugaux, cette sorte de religion du lapin sauté, du gigot à l'ail, de l'œuf mollet au vin rouge, le tout servi entre des murs de grange nappés de draps écrus où la rose rouge de juin, épinglée, resplendit ? Je n'ai que treize ans, et le menu familier de ces repas de quatre heures ne m'effraie pas. Des compotiers de verre, emplis de sucre en morceaux, jalonnent la table : chacun sait qu'ils sont là pour qu'on suce, entre les plats, le sucre trempé dans du vin, qui délie la langue et renouvelle l'appétit. Bouilloux et Labbé, curiosités gargantuesques, font assaut de gueule, chez les Septmance comme partout où l'on se marie. Labbé boit le vin blanc dans un seau à traire les vaches, Bouilloux se voit apporter un gigot entier dont il ne cède rien à personne, que l'os dépouillé.

Chansons, mangeaille, beuverie, la noce d'Adrienne est une bien jolie noce. Cinq plats de viande, trois entremets et le nougat monté où tremble une rose en plâtre. Depuis quatre heures, le portail béant de la grange encadre la mare verte, son abri d'ormes, un pan de ciel où monte lentement le rose du soir. Adrienne Septmance, noire et changée dans son nuage de tulle, accable de sa langueur l'épaule de son mari et essuie son visage où la sueur brille. Un long paysan osseux beugle des couplets patriotiques : « Sauvons Paris ! Sauvons Paris ! » et on le regarde avec crainte, car sa voix est grande et triste, et lui-même vient de loin : « Pensez ! un homme qui est de Dampierre-sous-Bouhy ! au moins trente kilomètres d'ici ! » Les hirondelles chassent et crient au-dessus du bétail qui boit. La mère de la mariée pleure inexplicablement. Julie David a taché sa robe ; les quatre Follet, en bleu, dans l'ombre grandissante, sont d'un bleu de phosphore. On n'allumera les chandelles que pour le bal... Un bonheur en dehors de mon âge, un bonheur subtil de gourmand repu me tient là, douce, emplie de sauce de lapin, de poulet au blanc et de vin sucré...

L'aigre violon de Rouillard pique aux jarrets, soudain, toutes les Follet, et Julie, et la mariée, et les jeunes fermières à bonnet tuyauté. « En place pour le quadrille ! » On traîne dehors, avec les tréteaux et les bancs, Labbé et Bouilloux désormais inutiles. Le long crépuscule de juin exalte le fumet de l'étable à porcs et du clapier proches. Je suis sans désirs, lourde pour danser, dégoûtée et supérieure comme quelqu'un qui a mangé plus que son saoul. Je crois bien que la bombance – la mienne – est finie...

– Viens nous promener, me dit Julie David.

C'est dans le potager de la ferme qu'elle m'entraîne. L'oseille froissée, la sauge, le vert poireau encensent nos pas, et ma compagne jase. Elle a perdu sa frisure de mouton, préparée par tant d'épingles doubles, et sa peau de fillette blonde miroite sur les joues comme une pomme frottée.

– Le fils Caillon m'a embrassée... J'ai entendu tout ce que le jeune marié vient de dire à sa jeune mariée... Il lui a dit : « Encore une scottish et on leur brûle la politesse... » Armandine Follet a tout rendu devant le monde...

J'ai chaud. Un bras moite de fillette colle au mien, que je dégage. Je n'aime pas la peau des autres... Une fenêtre, au revers de la maison de ferme, est ouverte, éclairée ; la ronde des moustiques et des sphinx tournoie autour d'une lampe Pigeon qui file.

– C'est la chambre des jeunes mariés ! souffle Julie.

La chambre des jeunes mariés... Une armoire de poirier noir, énorme, opprime cette chambre basse aux murs blancs, écrase entre elle et le lit une chaise de paille. Deux très gros bouquets de roses et de camomilles, cordés comme des fagots, se fanent sur la cheminée, dans les vases de verre bleu, et jusqu'au jardin dilatent le parfum fort et flétri qui suit les enterrements... Sous ses rideaux d'andrinople, le lit étroit et haut, le lit bourré de plume, bouffi d'oreillers en duvet d'oie, le lit où aboutit cette journée toute fumante de sueur, d'encens, d'haleine de bétail, de vapeur de sauces...

L'aile d'un phalène grésille sur la flamme de la lampe et l'éteint presque. Accoudée à la fenêtre basse, je respire l'odeur humaine, aggravée de fleur morte et de pétrole, qui offense le jardin. Tout à l'heure, les jeunes mariés vont venir ici. Je n'y avais pas pensé. Ils plongeront dans cette plume profonde. On fermera sur eux les contrevents massifs, la porte, toutes les issues de ce petit tombeau étouffant. Il y aura entre eux cette lutte obscure sur laquelle la candeur hardie de ma mère et la vie des bêtes m'ont appris trop et trop peu... Et puis ?... J'ai peur de cette chambre, de ce lit auquel je n'avais pas pensé. Ma compagne rit et bavarde...

– Dis, tu as vu que le fils Follet a mis à sa boutonnière la rose que je lui ai donnée ? Dis, tu as vu que Nana Bouilloux a un chignon ? A treize ans, vrai !... Moi, quand je me marierai, je ne me gênerai pas pour dire à maman... Mais où tu vas ? où tu vas ?

Je cours, foulant les salades et les tumulus de la fosse d'asperges.

– Mais attends-moi ! Mais qu'est-ce que tu as ?

Julie ne me rejoint qu'à la barrière du potager, sous le halo rouge de poussière qui baigne les lampes du bal, près de la grange ronflante de trombone, de rires et de roulements de pieds, la grange rassurante où son impatience reçoit enfin la plus inattendue des réponses, bêlée parmi des larmes de petite fille égarée :

– Je veux aller voir maman...

MA SOEUR AUX LONGS CHEVEUX

J'AVAIS douze ans, le langage et les manières d'un garçon intelligent, un peu bourru, mais la dégaine n'était point garçonnière, à cause d'un corps déjà façonné fémininement, et surtout de deux longues tresses, sifflantes comme des fouets autour de moi. Elles me servaient de cordes à passer dans l'anse du panier à goûter, de pinceaux à tremper dans l'encre ou la couleur, de lanières à corriger le chien, de ruban à faire jouer le chat. Ma mère gémissait de me voir massacrer ces étrivières d'or châtain, qui me valaient, chaque matin, de me lever une demi-heure plus tôt que mes camarades d'école. Les noirs matins d'hiver, à sept heures, je me rendormais assise, devant le feu de bois, sous la lumière de la lampe, pendant que ma mère brossait et peignait ma tête ballante. C'est par ces matins-là que m'est venue, tenace, l'aversion des longs cheveux... On trouvait de longs cheveux pris aux basses branches des arbres dans le jardin, de longs cheveux accrochés au portique où pendaient le trapèze et la balançoire. Un poussin de la basse-cour passa pour estropié de naissance, jusqu'à ce que nous eussions découvert qu'un long cheveu, recouvert de chair bourgeonnante, ligotait étroitement l'une de ses pattes et l'atrophiait...

Cheveux longs, barbare parure, toison où se réfugie l'odeur de la bête, vous qu'on choie en secret et pour le secret, vous qu'on montre tordus et roulés, mais que l'on cache épars, qui se baigne à votre flot, déployé jusqu'aux reins ? Une femme surprise à sa coiffure fuit comme si elle était nue. L'amour et l'alcôve ne vous voient guère plus que le passant. Libre, vous peuplez le lit de rets dont s'accommode mal l'épiderme irritable, d'herbes où se débat la main errante. Il y a bien un instant, le soir, quand les épingles tombent et que le visage brille, sauvage, entre des ondes mêlées, – il y a un autre instant pareil, le matin... Et à cause de ces deux instants-là, ce que je viens d'écrire contre vous, longs cheveux, ne signifie plus rien.

⁂

Nattée à l'alsacienne, deux petits rubans voletant au bout de mes deux tresses, la raie au milieu de la tête, bien enlaidie avec mes tempes découvertes et mes oreilles trop loin du nez, je montais parfois chez ma sœur aux longs cheveux. A midi, elle lisait déjà, le grand déjeuner finissant à onze heures. Le matin, couchée, elle lisait encore. Elle détournait à peine, au bruit de la porte, ses yeux noirs mongols, distraits, voilés de roman tendre ou de sanglante aventure. Une bougie consumée témoignait de sa longue veille. Le papier de la chambre, gris de perle à bleuets, portait les traces, près du lit, des allumettes qu'y frottait, la nuit, avec une brutalité insouciante, ma sœur aux longs cheveux. Sa chemise de nuit chaste, manches longues et petit col rabattu, ne laissait voir qu'une tête singulière, d'une laideur attrayante, à pommettes hautes, à bouche sarcastique de jolie Kalmoucke. Les épais sourcils mobiles remuaient comme deux chenilles soyeuses, et le front réduit, la nuque, les oreilles, tout ce qui était chair blanche, un peu anémique, semblait condamné d'avance à l'envahissement des cheveux.

Ils étaient si anormaux en longueur, en force et

en nombre, les cheveux de Juliette, que je ne les ai jamais vus inspirer, comme ils le méritaient pourtant, l'admiration ni la jalousie. Ma mère parlait d'eux comme d'un mal inguérissable. « Ah ! mon Dieu, il faut que j'aille peigner Juliette », soupirait-elle. Les jours de congé, à dix heures, je voyais ma mère descendre, fatiguée, du premier étage, jeter là l'attirail des peignes et des brosses : « Je n'en peux plus... J'ai mal à ma jambe gauche... Je viens de peigner Juliette. »

Noirs, mêlés de fils roux, mollement ondés, les cheveux de Juliette, défaits, la couvraient exactement tout entière. Un rideau noir, à mesure que ma mère défaisait les tresses, cachait le dos ; les épaules, le visage et la jupe disparaissaient à leur tour, et l'on n'avait plus sous les yeux qu'une étrange tente conique, faite d'une soie sombre à grandes ondes parallèles, fendue un moment sur un visage asiatique, remuée par deux petites mains qui maniaient à tâtons l'étoffe de la tente.

L'abri se repliait en quatre tresses, quatre câbles aussi épais qu'un poignet robuste, brillants comme des couleuvres d'eau. Deux naissaient à la hauteur des tempes, deux autres au-dessus de la nuque, de part et d'autre d'un sillon de peau bleutée. Une sorte de diadème ridicule couronnait ensuite le jeune front, un autre gâteau de tresses chargeait plus bas la nuque humiliée. Les portraits jaunis de Juliette en font foi : il n'y eut jamais de jeune fille plus mal coiffée.

— La petite malheureuse ! disait Mme Pomié en joignant les mains.

— Tu ne peux donc pas mettre ton chapeau droit ? demandait à Juliette Mme Donnot, en sortant de la messe. C'est vrai qu'avec tès cheveux... Ah ! on peut dire que ce n'est pas une vie, des cheveux comme les tiens...

Le jeudi matin, vers dix heures, il n'était donc pas rare que je trouvasse, encore couchée et lisant, ma sœur aux longs cheveux. Toujours pâle, absorbée, elle lisait avec un air dur, à côté d'une tasse de chocolat refroidi. A mon entrée, elle ne détournait guère plus la tête qu'aux appels : « Juliette, lève-toi ! » montant du rez-de-chaussée. Elle lisait, enroulant machinalement à son poignet l'un de ses serpents de cheveux, et laissait parfois errer vers moi, sans me voir, le regard des monomanes, ce regard qui n'a ni âge ni sexe, chargé d'une défiance obscure et d'une ironie que nous ne pénétrons pas.

Je goûtais dans cette chambre de jeune fille un ennui distingué dont j'étais fière. Le secrétaire en bois de rose regorgeait de merveilles inaccessibles ; ma sœur aux longs cheveux ne badinait pas avec la boîte de pastels, l'étui à compas et certaine demi-lune en corne blanche transparente, gravée de centimètres et de millimètres, dont le souvenir mouille parfois mon palais comme un citron coupé. Le papier à décalquer les broderies, gras, d'un bleu nocturne, le poinçon à percer les « roues » dans la broderie anglaise, les navettes à frivolité, les navettes d'ivoire, d'un blanc d'amande, et les bobines de soie couleur de paon, et l'oiseau chinois, peint sur riz, que ma sœur copiait au « passé » sur un panneau de velours... Et les tablettes de bal à feuillets de nacre, attachées à l'inutile éventail d'une jeune fille qui ne va jamais au bal.

Ma convoitise domptée, je m'ennuyais. Pourtant, par la fenêtre, je plongeais dans le jardin d'En-Face, où notre chatte Zoé rossait quelque matou. Pourtant chez Mme Saint-Alban, dans le jardin contigu, la rare clématite – celle qui montrait sous la pulpe blanche de sa fleur, comme un sang faible courant sous une peau fine, des veinules mauves – ouvrait une cascade lumineuse d'étoiles à six pointes...

Pourtant, à gauche, au coin de l'étroite rue des Sœurs, Tatave, le fou que l'on disait inoffensif, poussait une clameur horrible sans qu'un trait de sa figure bougeât... N'importe, je m'ennuyais.

— Qu'est-ce que tu lis, Juliette ?... Dis, Juliette, qu'est-ce que tu lis ?... Juliette !...

La réponse tardait, tardait à venir, comme si des lieues d'espace et de silence nous eussent séparées.

— *Fromont jeune et Risler aîné.*

Ou bien :

— *La Chartreuse de Parme.*

La Chartreuse de Parme, Le Vicomte de Bragelonne, Monsieur de Camors, Le Vicaire de Wakefield, La Chronique de Charles IX, La Terre, Lorenzaccio, Les Monstres parisiens, Grande Maguet, Les Misérables... Des vers aussi, moins souvent. Des feuilletons du *Temps,* coupés et cousus ; la collection de la *Revue des Deux Mondes,* celle de la *Revue Bleue,* celle du *Journal des Dames et des Demoiselles,* Voltaire et Ponson du Terrail... Des romans bourraient les coussins, enflaient la corbeille à ouvrage, fondaient au jardin, oubliés sous la pluie. Ma sœur aux longs cheveux ne parlait plus, mangeait à peine, nous rencontrait avec surprise dans la maison, s'éveillait en sursaut si l'on sonnait.

Ma mère se fâcha, veilla la nuit pour éteindre la lampe et confisquer les bougies : ma sœur aux longs cheveux, enrhumée, réclama dans sa chambre une veilleuse pour la tisane chaude, et lut à la flamme de la veilleuse. Après la veilleuse, il y eut les boîtes d'allumettes et le clair de lune. Après le clair de lune... Après le clair de lune, ma sœur aux longs cheveux, épuisée de romanesque insomnie, eut la fièvre, et la fièvre ne céda ni aux compresses, ni à l'eau purgative.

— C'est une typhoïde, dit un matin le docteur Pomié.

— Une typhoïde ? oh ! voyons, docteur... Pourquoi ? Ce n'est pas votre dernier mot ?

Ma mère s'étonnait, vaguement scandalisée,

pas encore inquiète. Je me souviens qu'elle se tenait sur le perron, agitant gaiement, comme un mouchoir, l'ordonnance du docteur Pomié.

– Au revoir, docteur !... A bientôt !... Oui, oui, c'est ça, revenez demain !

Son embonpoint agile occupait tout le perron, et elle grondait le chien qui ne voulait pas rentrer. L'ordonnance aux doigts, elle alla, avec une moue de doute, retrouver ma sœur, que vous avions laissée endormie et murmurante dans la fièvre. Juliette ne dormait plus ; les yeux mongols, les quatre tresses luisaient, noirs, sur le lit blanc.

– Tu ne te lèveras pas aujourd'hui, ma chérie, dit ma mère. Le docteur Pomié a bien recommandé... Veux-tu boire de la citronnade fraîche ? Veux-tu que je refasse un peu ton lit ?

Ma sœur aux longs cheveux ne répondit pas tout de suite. Pourtant, ses yeux obliques nous couvraient d'un regard actif, où errait un sourire nouveau, un sourire apprêté pour plaire. Au bout d'un court moment :

– C'est vous, Catulle ? demanda-t-elle d'une voix légère.

Ma mère tressaillit, avança d'un pas.

– Catulle ? Qui, Catulle ?

– Mais Catulle Mendès, répliqua la voix légère. C'est vous ? Vous voyez, je suis venue. J'ai mis vos cheveux blonds dans le médaillon ovale. Octave Feuillet est venu ce matin, mais quelle différence !... Rien que d'après la photographie, j'avais jugé... J'ai horreur des favoris. D'ailleurs, je n'aime que les blonds. Est-ce que je vous ai dit que j'avais mis un peu de pastel rouge sur votre photographie, à l'endroit de la bouche ? C'est à cause de vos vers... Ce doit être ce petit point rouge qui me fait mal dans la tête, depuis... Non, nous ne rencontrerons personne... Je ne connais d'ailleurs personne dans ce pays. C'est à cause de ce petit point rouge... et du baiser... Catulle... Je ne connais personne ici. Devant tous, je le déclare bien haut, c'est vous seul, Catulle...

Ma sœur cessa de parler, se plaignit d'une manière aigre et intolérante, se tourna vers le mur et continua de se plaindre beaucoup plus bas, comme de très loin. Une de ses tresses barrait son visage, brillante, ronde, gorgée de vie. Ma mère, immobile, avait penché la tête pour mieux entendre et regardait, avec une sorte d'horreur, cette étrangère qui n'appelait à elle, dans son délire, que des inconnus. Puis elle regarda autour d'elle, m'aperçut, m'ordonna précipitamment :

– Va-t'en en bas...

Et, comme saisie de honte, elle cacha son visage dans ses deux mains.

MATERNITÉ

SITÔT mariée, ma sœur aux longs cheveux céda aux suggestions de son mari, de sa belle-famille, et cessa de nous voir, tandis que s'ébranlait l'appareil redoutable des notaires et des avoués. J'avais onze, douze ans, et ne comprenais rien à des mots comme « tutelle imprévoyante, prodigalité inexcusable », qui visaient mon père. Une rupture suivit entre le jeune ménage et mes parents. Pour mes frères et moi, elle ne fit pas grand changement. Que ma demi-sœur – cette fille gracieuse et bien faite, kalmoucke de visage, accablée de cheveux, chargée de ses tresses comme d'autant de chaînes – s'enfermât dans sa chambre tout le jour ou s'exilât avec un mari dans une maison voisine, nous n'y voyions ni différence ni inconvénient. D'ailleurs, mes frères, éloignés, ressentirent seulement les secousses affaiblies d'un drame qui tenait attentif tout notre village. Une tragédie familiale, dans une grande ville, évolue discrètement, et ses héros peuvent sans bruit se meurtrir. Mais le village qui vit toute l'année dans l'inanition et la paix, qui trompe sa faim avec de maigres ragots de braconnage et de galanterie, le village n'a pas de pitié et personne n'y détourne la tête, par délicatesse charitable, sur le passage d'une femme que des plaies d'argent ont, en moins d'un jour, appauvrie d'une enfant.

On ne parla que de nous. On fit queue le matin à la boucherie de Léonore pour y rencontrer ma mère et la contraindre à livrer un peu d'elle-même. Des créatures qui, la veille, n'étaient pourtant pas sanguinaires, se partageaient quelques-uns de ses précieux pleurs, quelques plaintes arrachées à son indignation maternelle. Elle revenait épuisée, avec le souffle précipité d'une bête poursuivie. Elle reprenait courage dans sa maison, entre mon père et moi, taillait le pain pour les poules, arrosait le rôti embroché, clouait, de toute la force de ses petites mains emmanchées de beaux bras, une caisse pour la chatte près de mettre bas, lavait mes cheveux au jaune d'œuf et au rhum. Elle mettait, à dompter son chagrin, une sorte d'art cruel, et parfois je l'entendis chanter. Mais, le soir, elle montait fermer elle-même les persiennes du premier étage, pour regarder — séparés de notre jardin d'En-Face par un mur mitoyen — le jardin, la maison qu'habitait ma sœur. Elle voyait des planches de fraisiers, des pommiers en cordons et des touffes de phlox, trois marches qui menaient à un perron-terrasse meublé d'orangers en caisses et de sièges d'osier. Un soir — j'étais derrière elle — nous reconnûmes sur l'un des sièges un châle violet et or, qui datait de la dernière convalescence de ma sœur aux longs cheveux. Je m'écriai : « Ah ! tu vois, le châle de Juliette ? » et ne reçus pas de réponse. Un bruit saccadé et bizarre, comme un rire qu'on étouffe, décrut avec les pas de ma mère dans le corridor, quand elle eut fermé toutes les persiennes.

Des mois passèrent, et rien ne changea. La fille ingrate demeurait sous son toit, passait raide devant notre seuil, mais il lui arriva, apercevant ma mère à l'improviste, de fuir comme une fillette qui craint la gifle. Je la rencontrais sans émoi, étonnée devant cette étrangère qui portait des chapeaux inconnus et des robes nouvelles.

Le bruit courut, un jour, qu'elle allait mettre un enfant au monde. Mais je ne pensais plus guère à elle, et je ne fis pas attention que, dans ce moment-là justement, ma mère souffrit de demi-syncopes nerveuses, de vertiges d'estomac, de palpitations. Je me souviens seulement que l'aspect de ma sœur déformée, alourdie, me remplit de confusion et de scandale...

Des semaines encore passèrent... Ma mère, toujours vive, active, employa son activité d'une manière un peu incohérente. Elle sucra un jour la tarte aux fraises avec du sel, et au lieu de s'en désoler, elle accueillit les reproches de mon père avec un visage fermé et ironique qui me bouleversa.

Un soir d'été, comme nous finissions de dîner tous les trois, une voisine entra tête nue, nous souhaita le bonsoir d'un air apprêté, glissa dans l'oreille de ma mère deux mots mystérieux, et repartit aussitôt. Ma mère soupira : « Ah ! mon Dieu... » et resta debout, les mains appuyées sur la table.

– Qu'est-ce qu'il y a ? demanda mon père.

Elle cessa avec effort de contempler fixement la flamme de la lampe et répondit :

– C'est commencé... là-bas...

Je compris vaguement et je gagnai, plus tôt que d'habitude, ma chambre, l'une des trois chambres qui donnaient sur le jardin d'En-Face. Ayant éteint ma lampe, j'ouvris ma fenêtre pour guetter, au bout d'un jardin violacé de lune, la maison mystérieuse qui tenait clos tous ses volets. J'écoutai, comprimant mon cœur battant contre l'appui de la fenêtre. La nuit villageoise imposait son silence et je n'entendis que l'aboiement d'un chien, les griffes d'un chat qui lacéraient l'écorce d'un arbre. Puis une ombre en peignoir blanc – ma mère – traversa la rue, entra dans le jardin d'En-Face. Je la vis lever la tête, mesurer du regard le mur mitoyen comme si elle espérait le franchir. Puis elle alla et vint dans la courte allée du milieu, cassa machinalement un petit rameau de laurier odorant qu'elle froissa. Sous la lumière froide de la pleine lune, aucun de ses gestes ne m'échappait. Immobile, la face vers le ciel, elle écoutait, elle attendait. Un cri long, aérien, affaibli par la distance et les clôtures, lui parvint en même temps qu'à moi, et elle jeta avec violence ses mains croisées sur sa poitrine. Un second cri, soutenu sur la même note comme le début d'une mélodie, flotta dans l'air, et un troisième... Alors je vis ma mère serrer à pleines mains ses propres flancs, et tourner sur elle-même, et battre la terre de ses pieds, et elle commença d'aider, de doubler, par un gémissement bas, par l'oscillation de son corps tourmenté et l'étreinte de ses bras inutiles, par toute sa douleur et sa force maternelles, la douleur et la force de la fille ingrate qui, si loin d'elle, enfantait.

« MODE DE PARIS »

« *VINGT sous les premières, dix sous les secondes, cinq sous les enfants et les personnes debout.* » Tel était autrefois le tarif de nos divertissements artistiques quand une troupe de comédiens ambulants s'arrêtait, pour un soir, dans mon village natal. L'appariteur, chargé d'avertir les treize cents âmes du chef-lieu de canton, annonçait l'événement le matin, vers dix heures, au son du tambour. La ville prenait feu sur son passage. Des enfants, comme moi, sautaient sur place avec des cris aigus. Des jeunes filles, encornées de bigoudis, se tenaient immobiles un moment et frappées de stupeur heureuse, puis couraient comme sous la grêle. Et ma mère se plaignait, non sans mauvaise foi : « Grands dieux ! Minet-Chéri, tu ne vas pas me traîner au *Supplice d'une femme ?* C'est si ennuyeux ! La femme au supplice, ce sera moi... » Cependant, elle préparait les cisailles et les madeleines pour gaufrer elle-même son plus joli « devant » de lingerie fine...

Lampes fumeuses à réflecteurs de fer-blanc, banquettes plus dures que les bancs de l'école, décor de toile peinte écaillée, acteurs aussi mornes que les animaux captifs, de quelle tristesse vous ennoblissiez mon plaisir d'un soir... Car les drames m'imprégnaient d'une horreur froide, et je n'ai jamais pu m'égayer, toute petite, à des vaudevilles en loques, ni faire écho à des rires de comique souffreteux.

Quel hasard amena un jour chez nous, pourvue de décors, de costumes, une vraie troupe de comédiens nomades, tous gens vêtus proprement, point trop maigres, gouvernés par une sorte d'écuyer botté, à plastron de piqué blanc ? Nous n'hésitâmes pas à verser trois francs par personne pour entendre *La Tour de Nesle,* mon père, ma mère et moi. Mais le nouveau tarif épouvanta notre village parcimonieux, et, dès le lendemain, la troupe nous quittait pour planter ses tentes à X..., petite ville voisine, aristocratique et coquette, tapie au pied de son château, prosternée devant ses châtelains titrés. *La Tour de Nesle* y fit salle comble, et la châtelaine félicita publiquement, après le spectacle, M. Marcel d'Avricourt, grand premier rôle, un long jeune homme agréable, qui maniait l'épée comme une badine et voilait, sous des cils touffus, de beaux yeux d'antilope. Il n'en fallait pas tant pour qu'on s'étouffât, le lendemain soir, à *Denise.* Le surlendemain, un dimanche, M. d'Avricourt assistait, en jaquette, à la messe d'onze heures, offrait l'eau bénite à deux jeunes filles rougissantes, et s'éloignait sans lever les yeux sur leur émoi – discrétion que le Tout-X... louait encore, quelques heures plus tard, à la matinée *d'Hernani,* où l'on refusa du monde.

La femme du jeune notaire d'X... n'avait pas froid aux yeux. Elle se permettait les décisions brusques et gamines d'une femme qui copiait les robes de « ces dames du château », chantait en s'accompagnant elle-même et portait les cheveux à la chien. Le jour d'après, au petit matin, elle s'en alla commander un vol-au-vent à l'hôtel de la Poste, où logeait M. d'Avricourt, et écouta le bavardage de la patronne :

– Pour huit personnes, mesdames ? Samedi sept heures, sans faute ! Je verse le lait chaud de M. d'Avricourt et j'inscris la commande... Oui, madame, il loge ici... Ah ! madame, on ne dirait jamais un comédien ! Une voix comme une jeune fille... Et sitôt sa promenade faite, après le déjeuner, il rentre dans sa chambre et il prend son ouvrage.

– Son ouvrage ?

– Il brode, madame ! Une vraie fée ! Il finit un dessus de piano au passé, on l'exposerait. Ma fille a relevé le dessin...

La femme du jeune notaire guetta le jour même M. d'Avricourt, rêveur sous les tilleuls, l'aborda, et s'enquit d'un certain dessus de piano dont le dessin et l'exécution... M. d'Avricourt rougit, voila d'une main ses yeux de gazelle, fit deux ou trois petits cris bizarres et jeta quelques mots embarrassés :

– Enfantillages !... Enfantillages que la mode de Paris encourage...

Un geste de chasse-mouches, d'une afféterie gracieuse, termina la phrase. A quoi la notairesse répliqua par une invitation à prendre le thé.

– Oh ! un petit thé intime où chacun peut apporter son ouvrage...

Dans la semaine, *Le Gendre de M. Poirier* allait aux nues, en compagnie d'*Hernani*, du *Bossu* et des *Deux Timides*, portés par l'enthousiasme d'un public jamais las. Chez la receveuse de l'enregistrement, chez la pharmacienne et la perceptrice, M. d'Avricourt imposait la couleur de ses cravates, sa manière de marcher, de saluer, de pousser, parmi les éclats cristallins de son rire, de petits gloussements aigus, d'appuyer une main sur sa hanche comme sur une garde d'épée – et de broder. L'écuyer botté, gouverneur de la troupe, connaissait de douces heures, envoyait des mandats au Crédit Lyonnais et s'attablait l'après-midi au café de la Perle, en compagnie du père noble, du comique au grand nez et de la coquette un peu camuse.

Ce fut le moment que choisit le châtelain, absent depuis une quinzaine, pour revenir de Paris et quérir les bons avis du notaire de X... Il trouva la notairesse qui servait le thé. Près d'elle, le premier clerc de l'étude, un géant osseux et ambitieux, comptait ses points sur l'étamine bien tendue d'un tambour. Le fils du pharmacien, petit noceur à figure de cocher, entrelaçait des initiales sur un napperon, et le gros Glaume, veuf à marier, remplissait de laine alternativement magenta et vieil or les quadrillages d'une pantoufle. Jusqu'au vieux M. Demange, tout tremblotant, qui s'essayait sur un gros canevas... Debout, M. d'Avricourt récitait des vers, encensé par les soupirs des femmes oisives, et son regard oriental ne s'abaissait point sur elles.

Je n'ai jamais su au juste par quelles brèves paroles, ou par quel silence plus sévère, le châtelain flétrit la « dernière mode de Paris » et éclaira l'aveuglement étrange de ces braves gens qui le regardaient, l'aiguille en l'air.

Mais j'entendis maintes fois raconter que le lendemain matin la troupe levait le camp, et qu'à l'hôtel de la Poste il ne restait rien de Lagardère, d'Hernani, du gendre impertinent de M. Poirier – rien, qu'un écheveau de soie et un dé oubliés.

LA PETITE BOUILLOUX

CETTE petite Bouilloux était si jolie que nous nous en apercevions. Il n'est pas ordinaire que des fillettes reconnaissent en l'une d'elles la beauté et lui rendent hommage. Mais l'incontestée petite Bouilloux nous désarmait. Quand ma mère la rencontrait dans la rue, elle arrêtait la petite Bouilloux et se penchait sur elle, comme elle faisait pour sa rose safranée, pour son cactus à fleur pourpre, pour son papillon du pin, endormi et confiant sur l'écorce écailleuse. Elle touchait les cheveux frisés, dorés comme la châtaigne mi-mûre, la joue transparente et rose de la petite Bouilloux, regardait battre les cils démesurés sur l'humide et vaste prunelle sombre, les dents briller sous une lèvre sans pareille, et laissait partir l'enfant, qu'elle suivait des yeux, en soupirant :

– C'est prodigieux !...

Quelques années passèrent, ajoutant des grâces à la petite Bouilloux. Il y eut des dates que notre admiration commémorait : une distribution de prix où la petite Bouilloux, timide et récitant tout bas une fable inintelligible, resplendit sous ses larmes comme une pêche sous l'averse... La première communion de la petite Bouilloux fit scandale : elle alla boire chopine après les vêpres, avec son père, le scieur de long, au café du Commerce, et dansa le soir, féminine déjà et coquette, balancée sur ses souliers blancs, au bal public.

D'un air orgueilleux, auquel elle nous avait

habituées, elle nous avertit après, à l'école, qu'elle entrait en apprentissage.

– Ah !... Chez qui ?

– Chez Mme Adolphe.

– Ah !... Tu vas gagner tout de suite ?

– Non, je n'ai que treize ans, je gagnerai l'an prochain.

Elle nous quitta sans effusion et nous la laissâmes froidement aller. Déjà sa beauté l'isolait, et elle ne comptait point d'amies dans l'école, où elle apprenait peu. Ses dimanches et ses jeudis, au lieu de la rapprocher de nous, appartenaient à une famille « mal vue », à des cousines de dix-huit ans, effrontées sur le pas de la porte, à des frères, apprentis charrons, qui « portaient cravate » à quatorze ans et fumaient, leur sœur au bras, entre le « Tir parisien » de la foire et le gai « Débit » que la veuve à Pimelle achalandait si bien.

Dès le lendemain matin, je vis la petite Bouilloux, car elle montait vers son atelier de couture, et je descendais vers l'école. De stupeur, d'admiration jalouse, je restai plantée, du côté de la rue des Sœurs, regardant Nana Bouilloux qui s'éloignait. Elle avait troqué son sarrau noir, sa courte robe de petite fille contre une jupe longue, contre un corsage de satinette rose à plis plats. Un tablier de mohair noir parait le devant de sa jupe, et ses bondissants cheveux, disciplinés, tordus en « huit », casquaient étroitement la forme charmante et nouvelle d'une tête ronde, impérieuse, qui n'avait plus d'enfantin que sa fraîcheur et son impudence, pas encore mesurée, de petite dévergondée villageoise.

Le cours supérieur bourdonna, ce matin-là.

– J'ai vu Nana Bouilloux ! En « long », ma chère, en long qu'elle est habillée ! En chignon ! Et une paire de ciseaux pendante !

Je rentrai, haletante, à midi, pressée de crier :

– Maman ! j'ai vu Nana Bouilloux ! Elle passait

devant la porte ! En long, maman, en long, qu'elle est habillée ! Et en chignon ! Et des talons hauts, et une paire de...

– Mange, Minet-Chéri, mange, ta côtelette sera froide.

– Et un tablier, maman, oh ! un si joli tablier en mohair, comme de la soie !... Est-ce que je ne pourrais pas...

– Non, Minet-Chéri, tu ne pourrais pas.

– Mais puisque Nana Bouilloux peut bien...

– Oui, elle peut, et même elle doit, à treize ans, porter chignon, tablier court, jupe longue, – c'est l'uniforme de toutes les petites Bouilloux du monde, à treize ans, – malheureusement.

– Mais...

– Oui, tu voudrais un uniforme complet de petite Bouilloux. Ça se compose de tout ce que tu as vu, plus : une lettre bien cachée dans la poche du tablier, un amoureux qui sent le vin et le cigare à un sou ; deux amoureux, trois amoureux... et un peu plus tard... beaucoup de larmes... un enfant malingre et caché que le busc du corset a écrasé pendant des mois... C'est ça, Minet-Chéri, l'uniforme complet des petites Bouilloux. Tu le veux ?

– Mais non, maman... Je voulais essayer si le chignon...

Ma mère secouait la tête avec une malice grave.

– Ah ! non. Tu ne peux pas avoir le chignon sans le tablier, le tablier sans la lettre, la lettre sans les souliers à talons, ni les souliers sans... le reste ! C'est à choisir !

Ma convoitise se lassa vite. La radieuse petite Bouilloux ne fut plus qu'une passante quotidienne, que je regardais à peine. Tête nue l'hiver et l'été, elle changeait chaque semaine la couleur vive de ses blouses. Par grand froid, elle serrait sur ses minces épaules élégantes un petit fichu inutile. Droite, éclatante comme une rose épineuse, les cils abattus sur la joue ou dévoilant l'œil humide et sombre, elle méritait, chaque jour davantage, de régner sur des foules, d'être contemplée, parée, chargée de joyaux. La crêpelure domptée de ses cheveux châtains se révélait, quand même, en petites ondes qui accrochaient la lumière, en vapeur dorée sur la nuque et près des oreilles. Elle avait un air toujours vaguement offensé, des narines courtes et veloutées qui faisaient penser à une biche.

Elle eut quinze ans, seize ans, – moi aussi. Sauf qu'elle riait beaucoup le dimanche, au bras de ses cousines et de ses frères, pour montrer ses dents, Nana Bouilloux se tenait assez bien.

– Pour une petite Bouilloux, ma foi, il n'y a rien à dire ! reconnaissait la voix publique.

Elle eut dix-sept ans, dix-huit ans, un teint comme un fruit abrité du vent, des yeux qui faisaient baisser les regards, une démarche apprise on ne sait où. Elle se mit à fréquenter les « parquets » aux foires et aux fêtes, à danser furieusement, à se promener très tard, dans le chemin de ronde, un bras d'homme autour de la taille. Toujours méchante, mais rieuse, et poussant à la hardiesse ceux qui se seraient contentés de l'aimer.

Un soir de Saint-Jean, elle dansait au « parquet » installé place du Grand-Jeu, sous la triste lumière et l'odeur des lampes à pétrole. Les souliers à clous levaient la poussière de la place, entre les planches du « parquet ». Tous les garçons gardaient en dansant le chapeau sur la tête, comme il se doit. Des filles blondes devenaient lie de vin dans leurs corsages collés, des brunes, venues des champs et brûlées, semblaient noires. Mais dans une bande d'ouvrières dédaigneuses, Nana Bouilloux, en robe d'été à petites fleurs, buvait de la limonade au vin rouge quand les Parisiens entrèrent dans le bal.

Deux Parisiens comme on en voit l'été à la campagne, des amis d'un châtelain voisin, qui s'ennuyaient ; des Parisiens en serge blanche et en tussor qui venaient se moquer, un moment, d'une Saint-Jean de village... Ils cessèrent de rire en apercevant Nana Bouilloux et s'assirent à la buvette pour la voir de plus près. Ils échangèrent, à mi-voix, des paroles qu'elle feignait de ne pas entendre. Car sa fierté de belle créature lui défendit de tourner les yeux vers eux, et de pouffer comme ses compagnes. Elle entendit : « Cygne parmi les oies... Un Greuze !... crime de laisser s'enterrer ici une merveille... » Quand le Parisien en serge blanche invita la petite Bouilloux à valser, elle se leva sans étonnement, et dansa muette, sérieuse ; ses cils plus beaux qu'un regard touchaient, parfois, le pinceau d'une moustache blonde.

Après la valse, les Parisiens s'en allèrent, et Nana Bouilloux s'assit à la buvette en s'éventant. Le fils Leriche l'y vint chercher, et Houette, et même Honce, le pharmacien, et même Possy, l'ébéniste, grisonnant, mais fin danseur. A tous, elle répondit : « Merci bien, je suis fatiguée », et elle quitta le bal à dix heures et demie.

Et puis, il n'arriva plus rien à la petite Bouilloux. Les Parisiens ne revinrent pas, ni ceux-là, ni d'autres. Houette, Honce, le fils Leriche, les commis-voyageurs au ventre barré d'or, les soldats permissionnaires et les clercs d'huissier gravirent en vain notre rue escarpée, aux heures où descendait l'ouvrière bien coiffée, qui passait raide avec un signe de tête. Ils l'espérèrent aux bals, où elle but de la limonade d'un air distingué et répondit à tous : « Merci bien, je ne danse pas, je suis fatiguée. » Blessés, ils ricanaient, après quelques jours : « Elle a attrapé une fatigue de trente-six semaines, oui ! » et ils épièrent sa taille... Mais rien n'arriva à la petite Bouilloux, ni cela ni autre chose. Elle attendait, simplement. Elle attendait, touchée d'une foi orgueilleuse, consciente de ce que lui devait un hasard qui l'avait trop bien armée. Elle attendait... ce Parisien de serge blanche ? Non. L'étranger, le ravisseur. L'attente orgueilleuse la fit pure, silencieuse, elle dédaigna, avec un petit sourire étonné, Honce, qui voulut l'élever au rang de pharmacienne légitime, et le premier clerc de l'huissier. Sans plus déchoir, et reprenant en une fois ce qu'elle avait jeté – rires, regards, duvet lumineux de sa joue, courte lèvre enfantine et rouge, gorge qu'une ombre bleue divise à peine – à des manants, elle attendit son règne, et le prince qui n'avait pas de nom.

Je n'ai pas revu, en passant une fois dans mon pays natal, l'ombre de celle qui me refusa si tendrement ce qu'elle appelait « l'uniforme des petites Bouilloux ». Mais comme l'automobile qui m'emmenait montait lentement – pas assez lentement, jamais assez lentement – une rue où je n'ai plus de raison de m'arrêter, une passante se rangea pour éviter la roue. Une femme mince, bien coiffée, les cheveux en casque à la mode d'autrefois, des ciseaux de couturière pendus à une « châtelaine » d'acier, sur son tablier noir. De grands yeux vindicatifs, une bouche serrée qui devait se taire longuement, la joue et la tempe jaunies de celles qui travaillent à la lampe ; une femme de quarante-cinq ans... Mais non, mais non ; une femme de trente-huit ans, une femme de mon âge, exactement de mon âge, je n'en pouvais pas douter... Dès que la voiture lui laissa le passage, la « petite Bouilloux » descendit la rue, droite, indifférente, après qu'un coup d'œil, âpre et anxieux, lui eut révélé que la voiture s'en allait, vide du ravisseur attendu.

LA TOUTOUQUE

LARGE et basse comme un porcelet de quatre mois, jaune et rase de poil, masquée largement de noir, elle ressemblait plutôt à un petit mastiff qu'à un bouledogue. Des ignares avaient taillé en pointe ses oreilles coquillardes, et sa queue au ras du derrière. Mais jamais chienne ou femme au monde ne reçut, pour sa part de beauté, des yeux comparables à ceux de la Toutouque. Quand mon frère aîné, volontaire au chef-lieu, la sauva, en l'amenant chez nous, d'un règlement imbécile qui condamnait à mort les chiens de la caserne, et qu'elle posa sur nous son regard couleur de vieux madère, à peine inquiet, divinateur, étincelant d'une humidité pareille à celle des larmes humaines, nous fûmes tous conquis, et nous donnâmes à la Toutouque sa large place devant le feu de bois. Nous appréciâmes tous – et surtout moi, petite fille – sa cordialité de nourrice, son humeur égale. Elle aboyait peu, d'une voix grasse et assourdie de dogue, mais parlait d'autre manière, donnant son avis d'un sourire à lèvres noires et à dents blanches, baissant, d'un air complice, ses paupières charbonnées sur ses yeux de mulâtresse.

Elle apprit nos noms, cent paroles nouvelles, les noms des chattes, aussi vite que l'eût fait un enfant intelligent. Elle nous adopta tous dans son cœur, suivit ma mère à la boucherie, me fit un bout de conduite quotidienne sur le chemin de l'école. Mais elle n'appartenait qu'à ce frère aîné qui l'avait sauvée de la corde ou du coup de revolver. Elle l'aimait au point de perdre contenance devant lui. Pour lui elle devenait sotte, courbait le front et ne savait plus que courir au-devant des tourments qu'elle espérait comme des récompenses. Elle se couchait sur le dos, offrait son ventre, clouté de tétines violacées, sur lesquelles mon frère pianotait, en les pinçant à tour de rôle, l'air du *Menuet* de Boccherini. Le rite commandait qu'à chaque pinçon la Toutouque jetât — elle n'y manquait point — un petit glapissement, et mon frère s'écriait, sévère : « Toutouque ! vous chantez faux ! Recommencez ! » Il n'y mettait aucune cruauté, un effleurement arrachait, à la Toutouque chatouilleuse, une série de cris musicaux et variés. Le jeu fini, elle demeurait gisante et réclamait : « Encore ! »

Mon frère lui rendait tendresse pour tendresse, et composa pour elle ces chansons qui s'échappent de nous dans des moments de puérilité sauvage, ces enfants étranges du rythme, du mot répété, épanouis dans le vide innocent de l'esprit. Un refrain louait la Toutouque d'être :

Jaune, jaune, jaune,
Excessivement jaune,
A la limite du jaune...

Un autre célébrait ses formes massives, et l'appelait par trois fois, « cylindre sympathique », sur une excellente cadence de marche militaire. Alors la Toutouque riait aux éclats, c'est-à-dire qu'elle découvrait les dents de sa mâchoire grignarde, couchait le restant émondé de ses oreilles et hochait, en place de sa queue absente, son gros train postérieur. Dormît-elle au jardin, s'occupât-elle gravement à la cuisine, l'air du « cylindre », chanté par mon frère, ramenait la Toutouque à ses pieds, captivée par l'harmonie familière.

Un jour que la Toutouque cuisait, après le repas, sur le marbre brûlant du foyer, mon frère, au piano, sertit sans paroles, dans l'ouverture qu'il déchiffrait, l'air du « cylindre ». Les premières notes effleurèrent, comme des mouches importunes, le sommeil de la bête endormie. Son pelage ras de vache blonde tressaillit ici et là, et son oreille... La reprise énergique – piano *solo* – entrouvrit les yeux, pleins d'humain égarement, de la Toutouque musicienne, qui se leva et m'interrogea clairement : « Est-ce que je n'ai pas entendu ça quelque part ?... » Puis elle se tourna vers son ingénieux bourreau, qui martelait toujours l'air favori, accepta de lui cette magie nouvelle et vint s'asseoir au flanc du piano, pour écouter mieux, avec l'air entendu et mystifié d'un enfant qui suit une conversation entre grandes personnes.

Sa douceur désarmait toutes les taquineries. On lui confiait les petits chats à lécher, les chiots des lices étrangères. Elle baisait les mains des marmots trébuchants, se laissait piquer du bec par les poussins, et je la méprisai un peu pour sa mansuétude de commère repue, jusqu'au jour où, les temps marqués étant venus, la Toutouque s'éprit d'un chien de chasse, le setter d'un cafetier voisin. C'était un grand setter doué, comme tous les setters, d'un charme Second Empire ; blond acajou, long-chevelu, l'œil pailleté, il manquait de physionomie, non de distinction. Sa femelle lui ressemblait comme une sœur ; mais, nerveuse et sujette à des vapeurs, elle jetait des cris pour un claquement de porte et se lamentait au son des angélus. Sensible à la seule euphonie, leur maître les nommait Black et Bianca.

La brève idylle m'apprit à mieux connaître notre Toutouque. Passant avec elle devant le café, je vis Bianca la rousse, couchée sur la pierre du seuil, pattes croisées, ses anglaises défrisées le long des joues. Les deux chiennes n'échangèrent qu'un regard et Bianca fit le grand cri de la patte écrasée en se réfugiant au fond de la buvette. La Toutouque ne m'avait pas quittée d'une semelle, et son bel œil de soularde sentimentale s'étonnait : « Qu'est-ce qu'elle a ? »

– Laisse-la, lui répondis-je, tu sais bien qu'elle est à moitié folle.

Personne ne s'inquiétait, à la maison, des affaires personnelles de la Toutouque. Libre d'aller, de venir, de pousser du nez la porte battante, de dire bonjour à la bouchère, de rejoindre mon père à sa partie d'écarté, nous ne craignions point que la Toutouque s'égarât, ni qu'elle songeât à mal faire. Aussi, quand le cafetier vint nous informer, en accusant la Toutouque, que sa chienne Bianca avait l'oreille déchirée, nous éclatâmes tous d'un rire impertinent, en lui désignant la Toutouque vautrée, béate, cardée par un petit chat impérieux...

Le lendemain matin je m'étais installée, stylite, sur le chapiteau d'un des piliers que reliait l'un à l'autre la grille du jardin, et j'y prêchais des foules invisibles, quand j'entendis accourir une mêlée de hurlements canins, dominés par la voix haute et désespérée de Bianca. Elle parut, décoiffée et hagarde, dépassa le coin de la rue de la Roche, dévala la rue des Vignes. A ses trousses roulait, avec une rapidité inconcevable, une sorte de monstre jaune, hérissé, les pattes ramenées sous le ventre puis projetées de tous côtés, en membres de grenouille, par la fureur de sa course, – une bête jaune, masquée de noir, garnie de dents, d'yeux exorbités, d'une langue violacée où écumait la salive... Le tout passa en trombe, disparut, et pendant que je quittais à la hâte mon chapiteau, je distinguai dans l'éloignement le choc, le râle orageux d'un combat très court, et la voix encore de la chienne rouge, meurtrie... Je traversai le jardin en courant, j'atteignis la porte de la rue, m'arrêtai de stupeur : la Toutouque, le monstre entrevu, jaune, carnassier, Toutouque était là, couchée sur le perron...

– Toutouque !...

Elle essaya son sourire de bonne nourrice, mais elle haletait, et le blanc de ses yeux, strié de filets sanguins, semblait saigner...

– Toutouque ! est-ce possible ?

Elle se leva, frétilla pesamment et prétendit changer de conversation, mais sa lèvre noire, et la langue qui voulut effleurer mes doigts, retenaient des poils d'or roux arrachés à Bianca...

– Oh ! Toutouque... Toutouque...

Je ne trouvais pas d'autres paroles, et ne savais comment me plaindre, m'effrayer et m'étonner qu'une force malfaisante, dont le nom même échappait à mes dix ans, pût changer en brute féroce la plus douce des créatures...

LE MANTEAU DE SPAHI

LE manteau de spahi, le burnous noir lamé d'or, la chechia, la « parure » composée de trois miniatures ovales – un médaillon, deux boucles d'oreilles – entourées d'une guirlande de petites pierres fines, le morceau de « véritable peau d'Espagne » indélébilement parfumé... Autant de trésors auxquels s'attachait autrefois ma révérence, en quoi je ne faisais qu'imiter ma mère.

– Ce ne sont pas des jouets, déclarait-elle gravement, et d'un tel air que je pensais justement à des jouets, mais pour les grandes personnes...

Elle s'amusait, parfois, à draper sur moi le burnous noir léger, rayé de lames d'or, à me coiffer du capuchon à gland ; alors elle s'applaudissait de m'avoir mise au monde.

– Tu le garderas pour sortir du bal, quand tu seras mariée, disait-elle. Rien n'est plus seyant, et au moins c'est un vêtement qui ne passe pas de mode. Ton père l'a rapporté de sa campagne d'Afrique, avec le manteau de spahi.

Le manteau de spahi, rouge, et de drap fin, dormait plié dans un drap usé, et ma mère avait glissé dans ses plis un cigare coupé en quatre et une pipe d'écume culottée, « contre les mites ». Les mites se blasèrent-elles, ou le culot de pipe perdit-il, en vieillissant, sa vertu insecticide ? Au cours d'une de ces débâcles ménagères qu'on nomme nettoyages à fond, et qui rompent dans les armoires, comme les fleuves leurs glaces, les scellés de linge, de papier et de ficelles, ma mère, en dépliant le manteau de spahi, jeta le grand cri lamentable :

– Il est mangé !

Comme autour d'une desserte d'anthropophages, la famille accourut, se pencha sur le manteau où le jour brillait par cent trous, aussi ronds que si l'on eût mitraillé, à la cendrée, le drap fin.

– Mangé ! répéta ma mère. Et ma fourrure de renard doré, à côté, intacte.

– Mangé ! dit mon père avec calme. Eh bien, voilà, il est mangé.

Ma mère se dressa devant lui comme une furie économe.

– Tu en prends bien vite ton parti !

– Oh ! oui, dit mon père. J'y suis déjà habitué.

– D'abord, les hommes...

– Je sais. Que voulais-tu donc faire de ce manteau ?

Elle perdit d'un coup son assurance et montra une perplexité de chatte à qui l'on verse du lait dans une bouteille au goulot étroit.

– Mais... je le conservais ! Depuis quinze ans il est dans le même drap. Deux fois par an je le dépliais, je le secouais et je le repliais...

– Te voilà délivrée de ce souci. Reporte-le sur le tartan vert, puisqu'il est entendu que ta famille a le droit de se servir du tartan rouge à carreaux blancs, mais que personne ne doit toucher au tartan vert à carreaux bleus et jaunes.

– Le tartan vert, je le mets sur les jambes de la petite quand elle est malade.

– Ce n'est pas vrai.

– Comment ? à qui parles-tu ?

– Ce n'est pas vrai, puisqu'elle n'est jamais malade.

Une main rapide couvrit ma tête comme si les tuiles allaient tomber du toit.

– Ne déplace pas la question. Que vais-je faire

de ce manteau mangé ? Un si grand manteau ! Cinq mètres au moins !

– Mon Dieu, ma chère âme, si tu en as tant d'ennuis, replie-le, épingle sur lui son petit linceul, et remets-le dans l'armoire – comme s'il n'était pas mangé !

Le sang prompt de ma mère fleurit ses joues encore si fraîches.

– Oh ! tu n'y penses pas ! Ce n'est pas la même chose ! Je ne pourrais pas. Il y a là presque une question de...

– Alors, ma chère âme, donne-moi ce manteau. J'ai une idée.

– Qu'en vas-tu faire ?

– Laisse. Puisque j'ai une idée.

Elle lui donna le manteau, avec toute sa confiance, lisible dans ses yeux gris. Ne lui avait-il pas affirmé successivement qu'il savait la manière de faire certains caramels au chocolat, d'économiser la moitié des bouchons au moment de la mise en bouteille d'une pièce de bordeaux, et de tuer les courtilières qui dévastaient nos laitues ? Que le vin mal bouché se fût gâté en six mois, que la confection des caramels eût entraîné l'incendie d'un mètre de parquet et la cristallisation, dans le sucre bouillant, d'un vêtement entier ; que les laitues, intoxiquées d'acide mystérieux, eussent précédé dans la tombe les courtilières, cela ne signifiait pas que mon père se fût trompé...

Elle lui donna le manteau de spahi, qu'il jeta sur son épaule, et qu'il emporta dans son antre, nommé aussi bibliothèque. Je suivis dans l'escalier son pas rapide d'amputé, ce saut de corbeau qui le hissait de marche en marche. Mais dans la bibliothèque il s'assit, réclama brièvement que je misse à sa portée la règle à calcul, la colle, les grands ciseaux, le compas, les épingles, m'envoya promener et s'enferma au verrou.

– Qu'est-ce qu'il fait ? Va voir un peu ce qu'il fait ! demandait ma mère.

Mais nous n'en sûmes rien jusqu'au soir. Enfin, le vigoureux appel de mon père retentit jusqu'en bas et nous montâmes.

– Eh bien, dit ma mère en entrant, tu as réussi ?

– Regarde !

Triomphant, il lui offrait sur le plat de la main – découpé en dents de loup, feuilleté comme une galette et pas plus grand qu'une rose – tout ce qui restait du manteau de spahi : un ravissant essuie-plume.

L'AMI

Le jour où l'Opéra-Comique brûla, mon frère aîné, accompagné d'un autre étudiant, son ami préféré, voulait louer deux places. Mais d'autres mélomanes pauvres, habitués des places à trois francs, n'avaient rien laissé. Les deux étudiants déçus dînèrent à la terrasse d'un petit restaurant du quartier : une heure plus tard, à deux cents mètres d'eux, l'Opéra-Comique brûlait. Avant de courir l'un au télégraphe pour rassurer ma mère, l'autre à sa famille parisienne, ils se serrèrent la main et se regardèrent, avec cet embarras, cette mauvaise grâce sous laquelle les très jeunes hommes déguisent leurs émotions pures. Aucun d'eux ne parla de hasard providentiel, ni de la protection mystérieuse étendue sur leurs deux têtes. Mais quand vinrent les grandes vacances, pour la première fois Maurice – admettez qu'il s'appelait Maurice – accompagna mon frère et vint passer deux mois chez nous.

J'étais alors une petite fille assez grande, treize ans environ.

Il vint donc, ce Maurice que j'admirais en aveugle, sur la foi de l'amitié que lui portait mon frère. En deux ans, j'avais appris que Maurice faisait son droit – pour moi, c'était un peu comme si on m'eût dit qu'il « faisait le beau » debout sur ses pattes de derrière – qu'il adorait, autant que mon frère, la musique, qu'il ressemblait au baryton Taskin avec ses moustaches et une très petite barbe en pointe, que ses riches parents vendaient en gros des produits chimiques et ne gagnaient pas moins de cinquante mille francs par an – on voit que je parle d'un temps lointain.

Il vint, et ma mère s'écria tout de suite qu'il était « de cent mille pics » supérieur à ses photographies, et même à tout ce que mon frère vantait de lui depuis deux ans : fin, l'œil velouté, la main belle, la moustache comme roussie au feu, et l'aisance caressante d'un fils qui a peu quitté sa mère. Moi, je ne dis rien, justement parce que je partageais l'enthousiasme maternel.

Il arrivait vêtu de bleu, coiffé d'un panama à ruban rayé, m'apportant des bonbons, des singes en chenille de soie grenat, vieil-or, vert-paon, qu'une mode agaçante accrochait partout – les rintintins de l'époque – un petit porte-monnaie en peluche turquoise. Mais que valaient les cadeaux au prix des larcins ? Je leur dérobais, à lui et à mon frère, tout ce qui tombait sous ma petite serre de pie sentimentale : des journaux illustrés libertins, des cigarettes d'Orient, des pastilles contre la toux, un crayon dont l'extrémité portait des traces de dents – et surtout les boîtes d'allumettes vides, les nouvelles boîtes blasonnées de photographies d'actrices que je ne fus pas longue à connaître toutes, et à nommer sans faute : Théo, Sybil Sanderson, Van Zandt... Elles appartenaient à une race inconnue, admirable, que la nature avait dotée invariablement d'yeux très grands, de cils très noirs, de cheveux frisés en éponge sur le front, et d'un lé de tulle sur une seule épaule, l'autre demeurant nue... A les entendre nommer négligemment par Maurice, je les réunis en un harem sur lequel il étendait une royauté indolente, et j'essayais, le soir, en me couchant, l'effet d'une voilette de maman sur mon épaule. Je fus, huit jours durant, revêche, jalouse, pâle, rougissante – en un mot amoureuse.

Et puis, comme j'étais en somme une fort raisonnable petite fille, cette période d'exaltation passa et je goûtai pleinement l'amitié, l'humeur gaie de Maurice, les causeries libres des deux amis. Une coquetterie plus intelligente régit tous mes gestes, et je fus, avec une apparence parfaite de simplicité, telle que je devais être pour plaire : une longue enfant aux longues tresses, la taille bien serrée dans un ruban à boucle, blottie sous son grand chapeau de paille comme un chat guetteur. On me revit à la cuisine et les mains dans la pâte à galettes, au jardin le pied sur la bêche, et je courus en promenade, autour des deux amis bras sur bras, ainsi qu'une gardienne gracieuse et fidèle. Quelles chaudes vacances, si émues et si pures...

C'est en écoutant causer les deux jeunes gens que j'appris le mariage, encore assez lointain, de Maurice. Un jour que nous étions seuls au jardin, je m'enhardis jusqu'à lui demander le portrait de sa fiancée. Il me le tendit : une jeune fille souriante, jolie, extrêmement coiffée, enguirlandée de mille ruches de dentelle.

– Oh ! dis-je maladroitement, la belle robe !

Il rit si franchement que je ne m'excusai pas.

– Et qu'allez-vous faire, quand vous serez marié ?

Il cessa de rire et me regarda.

– Comment, ce que je vais faire ? Mais je suis déjà presque avocat, tu sais !

– Je sais. Et elle, votre fiancée, que fera-t-elle pendant que vous serez avocat ?

– Que tu es drôle ! Elle sera ma femme, voyons.

– Elle mettra d'autres robes avec beaucoup de petites ruches ?

– Elle s'occupera de notre maison, elle recevra... Tu te moques de moi ? Tu sais très bien comment on vit quand on est marié.

– Non, pas très bien. Mais je sais comment nous vivons depuis un mois et demi.

— Qui donc, « nous » ?

— Vous, mon frère et moi. Vous êtes bien ici ? Étiez-vous heureux ? Vous nous aimez ?

Il leva ses yeux noirs vers le toit d'ardoises brodé de jaune, vers la glycine en sa seconde floraison, les arrêta un moment sur moi et répondit comme à lui-même :

— Mais oui...

— Après, quand vous serez marié, vous ne pourrez plus, sans doute, revenir ici, passer les vacances ? Vous ne pourrez plus jamais vous promener à côté de mon frère, en tenant mes deux nattes par le bout, comme des rênes ?

Je tremblais de tout mon corps, mais je ne le quittais pas des yeux. Quelque chose changea dans son visage. Il regarda tout autour de lui, puis il parut mesurer, de la tête aux pieds, la fillette qui s'appuyait à un arbre et qui levait la tête en lui parlant, parce qu'elle n'avait pas encore assez grandi. Je me souviens qu'il ébaucha une sorte de sourire contraint, puis il haussa les épaules, répondit assez sottement :

— Dame, non, ça va de soi...

Il s'éloigna vers la maison sans ajouter un mot et je mêlai pour la première fois, au grand regret enfantin que j'avais de perdre bientôt Maurice, un petit chagrin victorieux de femme.

YBANEZ EST MORT

J'AI oublié son nom. Pourquoi sa triste figure émerge-t-elle encore, quelquefois, des songes qui me ramènent, la nuit, au temps et au pays où je fus une enfant ? Sa triste figure erre-t-elle au lieu où sont les morts sans amis, après qu'il eut erré, sans amis, parmi les vivants ?

Il s'appelait à peu près Goussard, Voussard, ou peut-être Gaumeau. Il entra, comme expéditionnaire, chez Me Defert, notaire, et il y resta des années, des années... Mais mon village, qui n'avait pas vu naître Voussard – ou Gaumeau –, ne voulut pas l'adopter. Même à l'ancienneté, Voussard ne gagna point son grade d' « enfant du pays ». Grand, gris, sec, étroit, il ne quêta nulle sympathie et le cœur même de Rouillard, ce cœur expansif de cafetier-violoniste, attendri à force de mener en musique les cortèges de noces au long des routes, ne s'ouvrit jamais pour lui.

Voussard « mangeait » chez Patasson. « Manger chez un tel », cela signifie, chez nous, qu'on y loge aussi. Soixante francs par mois pour la pension complète : Voussard ne risquait pas d'y gâter sa taille, qu'il garda maigre, sanglée d'une jaquette vernissée et d'un gilet jaune, recousu de gros fil noir. Oui, recousu de gros fil... au-dessus de la pochette à montre... je le vois... Si je peignais, je pourrais faire de Voussard, vingt-cinq ans après qu'il a disparu, un portrait incompréhensiblement ressemblant. Pourquoi ? Je ne sais. Ce gilet, la couture de fil noir, le col en papier-carton blanc, la cravate, une loque à dessin cachemire. Au-dessus, la figure, grise le matin comme une vitre sale, parce que Voussard partait à jeun, marbrée d'un rouge pauvre après le repas de midi. La figure, longue, toujours sans barbe, mais toujours mal rasée. Une grande bouche, nouée serré, laide. Un nez long, un nez avide, plus gras que tout le visage, et des yeux... Je ne les ai vus qu'une fois, car ils regardaient d'habitude la terre et s'abritaient en outre sous un canotier de paille noire, trop petit pour le crâne de Voussard et posé en avant sur son front comme les chapeaux que portaient les femmes sous le Second Empire, pendant la mode du chignon Benoiton.

A l'heure du pousse-café et de la cigarette, Voussard, qui se passait de tabac et de café, prenait l'air à deux pas de son étude, sur un des deux bancs de pierre qui doivent flanquer encore la maison de Mme Lachassagne. Il y revenait vers quatre heures, à l'heure où le reste du village goûtait. Le banc de gauche usait les culottes des deux clercs de Me Defert. Le banc de droite branlait, par beau temps, aux mêmes heures, sous une brochette de petites filles déjà grandes, serrées et remuantes comme des passereaux sur la tuile d'une cheminée chaude : Odile, Yvonne, Marie, Colette... Nous avions treize, quatorze ans, l'âge du chignon prématuré, de la ceinture de cuir bouclée au dernier cran, du soulier qui blesse, des cheveux à la chien qu'on a coupés — « tant pis ! maman dira ce qu'elle voudra ! » — à l'école pendant la leçon de couture, d'un coup de ciseaux à broder. Nous étions minces, hâlées, maniérées et brutales, maladroites comme des garçons, impudentes, empourprées de timidité au son seul de notre voix, aigres, pleines de grâce, insupportables...

Pendant quelques minutes, sur le banc, avant la classe, nous faisions les belles pour tout ce qui descendait, sur deux pieds, du haut de Bel-Air ; mais nous ne regardions jamais Voussard, penché sur un journal plié en huit. Nos mères le craignaient vaguement :

– Tu n'as pas encore été t'asseoir sur ce banc, si près de cet individu ?

– Quel individu, maman ?

– Cet individu de chez Defert... Ah ! je n'aime pas cela !

– Pourquoi, maman ?

– Je me comprends...

Elles avaient de lui l'horreur qu'on a pour le satyre, ou le fou silencieux tout à coup assassin. Mais Voussard semblait ignorer notre présence et nous n'avions guère l'idée qu'il fût vivant.

Il mâchait une petite branche de tilleul en guise de dessert, croisait l'un sur l'autre, avec une désinvolture de squelette frivole, ses tibias sans chair, et il lisait, sous son auvent de paille noire poussiéreuse. A midi et demi, le petit Ménétreau, galopin d'école l'an dernier, promu récemment saute-ruisseau chez Defert, s'asseyait à côté de Voussard, et finissait son pain du déjeuner à grands coups de dents, comme un fox qui déchire une pantoufle. Le mur fleuri de Mme Lachassagne égrenait sur eux et sur nous des glycines, des cytises, le parfum du tilleul, une corolle plate et tournoyante de clématite, des fruits rouges d'if... Odile feignait le fou rire pour frapper d'admiration un commis-voyageur qui passait ; Yvonne attendait que le nouvel instituteur-adjoint parût à la fenêtre du cours supérieur ; je projetais de désaccorder mon piano pour que l'accordeur du chef-lieu, celui qui portait lorgnon d'or... Voussard, comme inanimé, lisait.

Un jour vint que le petit Ménétreau s'assit le premier sur le banc de gauche, mordant son reste de pain et gobant des cerises.

Voussard arriva en retard, au coup de cloche de l'école. Il marchait vite et gauchement, comme quelqu'un qui se hâte dans l'obscurité. Un journal ouvert qu'il tenait à la main balayait la rue. Il posa une main sur l'épaule du petit Ménétreau, se pencha et lui dit d'une voix profonde et précipitée :

– Ybanez est mort. Ils l'ont assassiné.

Le petit Ménétreau ouvrit une bouche pleine de pain mâché et bégaya :

– C'est pas vrai ?

– Si. Les soldats du roi. Regarde.

Et il déploya tragiquement, sous le nez du saute-ruisseau, le feuilleton du journal qui tremblait entre ses doigts.

– Eh ben !... soupira le petit Ménétreau... Qu'est-ce qui va arriver ?

– Ah !... Est-ce que je sais !...

Les grands bras de Voussard se levèrent, retombèrent :

– C'est un coup du cardinal de Richelieu, ajouta-t-il avec un rire amer.

Puis il ôta son chapeau pour s'essuyer le front et demeura un moment immobile, laissant errer sur la vallée ses yeux que nous ne connaissions pas, les yeux jaunes d'un conquérant d'îles, les yeux cruels et sans bornes d'un pirate aux aguets sous son pavillon noir, les yeux désespérés du loyal compagnon d'Ybanez, assassiné lâchement par les soldats du Roy.

MA MÈRE ET LE CURÉ

MA mère, mécréante, permit cependant que je suivisse le catéchisme, quand j'eus onze ou douze ans. Elle n'y mit jamais d'autre obstacle que des réflexions désobligeantes, exprimées vertement chaque fois qu'un humble petit livre, cartonné de bleu, lui tombait sous la main. Elle ouvrait mon catéchisme au hasard et se fâchait tout de suite :

– Ah ! que je n'aime pas cette manière de poser des questions ! Qu'est-ce que Dieu ? qu'est-ce que ceci ? qu'est-ce que cela ? Ces points d'interrogation, cette manie de l'enquête et de l'inquisition, je trouve ça incroyablement indiscret ! Et ces commandements, je vous demande un peu ! Qui a traduit les commandements en un pareil charabia ? Ah ! je n'aime pas voir ce livre dans les mains d'un enfant, il est rempli de choses si audacieuses et si compliquées...

– Enlève-le des mains de ta fille, disait mon père, c'est bien simple.

– Non, ce n'est pas bien simple. S'il n'y avait encore que le catéchisme ! Mais il y a la confession. Ça, vraiment... ça, c'est le comble ! Je ne peux pas en parler sans que le rouge de l'indignation... Regarde comme je suis rouge !

– N'en parle pas.

– Oh ! toi... C'est ta morale qui est « bien simple ». Les choses ennuyeuses, on n'en parle pas, et alors elles cessent d'exister, hein ?

– Je ne dirais pas mieux.

– Plaisanter n'est pas répondre. Je ne peux pas m'habituer aux questions qu'on pose à cette enfant.

– ! ! !

– Quand tu lèveras les bras au ciel ! Révéler, avouer, et encore avouer, et exhiber tout ce qu'on fait de mal !... Le taire, s'en punir au fond de soi, voilà qui est mieux. Voilà ce qu'on devrait enseigner. Mais la confession rend l'enfant enclin à un flux de paroles, à un épluchage intime, où il entre bientôt plus de plaisir vaniteux que d'humilité... Je t'assure ! Je suis très mécontente. Et je m'en vais de ce pas en parler au curé !

Elle jetait sur ses épaules sa « visite » en cachemire noir brodée de jais, coiffait sa petite capote à grappes de lilas foncés, et s'en allait, de ce pas en effet, ce pas inimitable et dansant – la pointe du pied en dehors, le talon effleurant à peine la terre – sonner à la porte de M. le curé Millot, à cent mètres de là. J'entendais, de chez nous, la sonnette triste et cristalline, et j'imaginais, troublée, un entretien dramatique, des menaces, des invectives, entre ma mère et le curé-doyen... Au claquement de la porte d'entrée, mon cœur romanesque d'enfant répondait par un bond pénible. Ma mère reparaissait rayonnante, et mon père abaissait devant son visage, barbu comme un paysage forestier, le journal *Le Temps* :

– Eh bien ?

– Ça y est ! s'écriait ma mère. Je l'ai !

– Le Curé ?

– Non, voyons ! La bouture du pélargonium qu'il gardait si jalousement, tu sais, celui dont les fleurs ont deux pétales pourpre foncé et trois pétales roses ? La voilà, je cours l'empoter...

– Tu lui as bien savonné la tête au sujet de la petite ?

Ma mère tournait vivement, sur le seuil de la terrasse, un charmant visage, étonné, coloré :

– Oh ! non, quelle idée ! Tu n'as aucun tact ! Un

homme qui non seulement m'a donné la bouture de son pélargonium, mais qui encore m'a promis son chèvrefeuille d'Espagne, à petites feuilles panachées de blanc, celui dont on sent d'ici l'odeur, tu sais, quand le vent vient d'ouest...

Elle était déjà hors de vue, mais sa voix nous arrivait encore, un soprano nuancé, vacillant pour la moindre émotion, agile, sa voix qui propageait jusqu'à nous et plus loin que nous les nouvelles des plantes soignées, des greffes, de la pluie, des éclosions, comme la voix d'un oiseau invisible qui prédit le temps...

Le dimanche, elle manquait rarement la messe. L'hiver, elle y menait sa chaufferette, l'été son ombrelle ; en toutes saisons un gros paroissien noir et son chien Domino, qui fut tour à tour un bâtard de loulou et de fox, noir et blanc, puis un barbet jaune.

Le vieux curé Millot, quasi subjugué par la voix, la bonté impérieuse, la scandaleuse sincérité de ma mère, lui remontra pourtant que la messe ne se disait pas pour les chiens.

Elle se hérissa comme une poule batailleuse :

– Mon chien ! Mettre mon chien à la porte de l'église ! Qu'est-ce que vous craignez donc qu'il y apprenne ?

– Il n'est pas question de...

– Un chien qui est un modèle de tenue ! Un chien qui se lève et s'assied en même temps que tous vos fidèles !

– Ma chère madame, tout cela est vrai. N'empêche que dimanche dernier il a grondé pendant l'élévation !

– Mais certainement, il a grondé pendant l'élévation ! Je voudrais bien voir qu'il n'ait pas grondé pendant l'élévation ! Un chien que j'ai dressé moi-même pour la garde et qui doit aboyer dès qu'il entend une sonnette !

La grande affaire du chien à l'église, coupée de trêves, traversée de crises aiguës, dura longtemps, mais la victoire revint à ma mère. Flanquée de son chien, d'ailleurs très sage, elle s'enfermait à onze heures dans le « banc » familial, juste au-dessous de la chaire, avec la gravité un peu forcée et puérile qu'elle revêtait comme une parure dominicale. L'eau bénite, le signe de croix, elle n'oubliait rien, pas même les génuflexions rituelles.

– Qu'en savez-vous, monsieur le curé, si je prie ou non ? Je ne sais pas le *Pater*, c'est vrai. Ce n'est pas long à apprendre ? Ni à oublier, j'aurais bientôt fait... Mais j'ai à la messe, quand vous nous obligez à nous mettre à genoux, deux ou trois moments bien tranquilles, pour songer à mes affaires... Je me dis que la petite n'a pas bonne mine, que je lui ferai monter une bouteille de Château-Larose pour qu'elle ne prenne pas les pâles couleurs... Que chez les malheureux Pluvier un enfant va encore venir au monde sans langes, ni brassières, si je ne m'en mêle pas... Que demain c'est la lessive à la maison et que je dois me lever à quatre heures...

Il l'arrêtait en étendant sa main tannée de jardinier :

– Ça me suffit bien, ça me suffit bien... Je vous compte le tout pour une oraison.

Pendant la messe, elle lisait dans un livre de cuir noir, frappé d'une croix sur les deux plats ; elle s'y absorbait même avec une piété qui semblait étrange aux amis de ma très chère mécréante ; ils ne pouvaient pas deviner que le livre à figure de paroissien enfermait, en texte serré, le théâtre de Corneille...

Mais le moment du sermon faisait de ma mère une diablesse. Les cuirs, les « velours », les naïvetés chrétiennes d'un vieux curé paysan, rien ne la désarmait. Les bâillements nerveux sortaient d'elle comme des flammes ; et elle me confiait à voix basse les mille maux soudains qui l'assaillaient :

— J'ai des vertiges d'estomac... Ça y est, je sens venir une crise de palpitations... Je suis rouge, n'est-ce pas ? Je crois que je vais me trouver mal... Il faudra que je défende à M. Millot de prêcher plus de dix minutes...

Elle lui communiqua son dernier ukase, et il l'envoya, cette fois, promener. Mais le dimanche d'après, elle inventa pendant le prône, les dix minutes écoulées, de toussoter, de balancer sa montre ostensiblement au bout de sa chaîne...

M. le curé lutta d'abord, puis perdit la tête avec le fil de son discours. Bégayant, il jeta un *Amen* qui ne rimait à rien et descendit, bénissant d'un *geste* égaré ses ouailles, toutes ses ouailles, sans excepter celle dont le visage, à ses pieds, riait, et brillait de l'insolence des réprouvés.

MA MÈRE ET LA MORALE

VERS l'âge de treize ou quatorze ans, je n'avais pas l'humeur mondaine. Mon demi-frère aîné, étudiant en médecine, m'enseignait, quand il venait en vacances, sa sauvagerie méthodique, tranquille, qui ne connaissait pas plus de trêves que la vigilance des bêtes farouches. Un coup de sonnette à la porte du perron le projetait, d'un saut silencieux, dans le jardin, et la vaste maison, par mauvais temps, offrait maint refuge aux délices de sa solitude. Imitation ou instinct, je savais franchir la fenêtre de la cuisine, passer les pointes de la grille sur la rue des Vignes, fondre dans l'ombre des greniers, dès que j'entendais, après le coup de sonnette, d'aimables voix féminines, chantant selon l'accent de notre province. Pourtant, j'aimais les visites de Mme Saint-Alban, une femme encore belle, crépue de frisures naturelles qu'elle coiffait en bandeaux, tôt ébouriffés. Elle ressemblait à George Sand, et portait en tous ses mouvements une majesté romanichelle. Ses chaleureux yeux jaunes miraient le soleil et les plantes vertes, et j'avais goûté, nourrissonne, au lait de sa gorge abondante et bistrée, un jour que par jeu ma mère tendait son sein blanc à un petit Saint-Alban de mon âge.

Mme Saint-Alban quittait, pour venir voir ma mère, sa maison du coin de la rue, son étroit jardin où les clématites pâlissaient dans l'ombre des thuyas. Ou bien elle entrait en revenant de promenade, riche de chèvrefeuille sylvestre, de bruyères rouges, de menthe des marécages et de roseaux fleuris, velouteux, bruns et rudes comme des dos d'oursons. Sa broche ovale lui servait souvent à agrafer, l'un sur l'autre, les bords d'un accroc dans sa robe de taffetas noir, et son petit doigt s'ornait d'un cœur de cornaline rosée, où flambaient les mots *ie brusle, ie brusle,* – une bague ancienne trouvée en plein champ.

Je crois que j'aimais surtout, en Mme Saint-Alban, tout ce qui l'opposait à ma mère, et je respirais, avec une sensualité réfléchie, le mélange de leurs parfums. Mme Saint-Alban déplaçait une nue lourde d'odeur brune, l'encens de ses cheveux crépus et de ses bras dorés. Ma mère fleurait la cretonne lavée, le fer à repasser chauffé sur la braise du peuplier, la feuille de verveine citronnelle qu'elle roulait dans ses mains ou froissait dans sa poche. Au soir tombant, je croyais qu'elle exhalait la senteur des laitues arrosées, car la fraîche senteur se levait sur ses pas, au bruit perlé de la pluie d'arrosage, dans une gloire de poudre d'eau et de poussière arable.

J'aimais aussi entendre la chronique communale rapportée par Mme Saint-Alban. Ses récits suspendaient, à chaque nom familier, une sorte d'écusson désastreux, un feuillet météorologique où s'annonçaient l'adultère de demain, la ruine de la semaine prochaine, la maladie inexorable... Un feu généreux allumait alors ses yeux jaunes, une malignité enthousiaste et sans objet la soulevait, et je me retenais de crier : « Encore ! encore ! »

Elle baissait parfois la voix en ma présence. Plus beau de n'être qu'à demi compris, le potin mystérieux durait plusieurs jours, attisé savamment, puis étouffé d'un coup. Je me souviens particulièrement de « l'histoire Bonnarjaud »...

Barons de fantaisie ou noblesse campagnarde, M. et Mme de Bonnarjaud habitaient pauvrement un petit château autour duquel les terres domaniales, vendues lopin à lopin, se réduisaient au parc, clos de murs. Pas de fortune et trois filles à marier. « Ces demoiselles de Bonnarjaud » montraient à la messe des robes révélatrices. Marierait-on jamais ces demoiselles de Bonnarjaud ?...

– Sido ? devine ce qui arrive ! s'écria un jour Mme Saint-Alban. La seconde Bonnarjaud se marie !

Elle revenait des fermes éparpillées autour du petit château, rapportant son butin de nouvelles et des javelles d'avoine verte, des coquelicots et des nielles, les premières digitales des ravins pierreux. Une chenille filandière, couleur de jade, transparente, pendait à un fil soyeux, sous l'oreille de Mme Saint-Alban ; le duvet des peupliers collait une barbe d'argent à son menton cuivré, moite de sueur.

– Assieds-toi, Adrienne. Tu vas boire un verre de mon sirop de groseilles. Tu vois, j'attache mes capucines. La seconde des Bonnarjaud ? Celle qui a une jambe un peu faible ? Je flaire encore là-dessous une manigance pas bien belle... Mais la vie de ces trois filles est d'une tristesse et d'un vide qui frappent le cœur. L'ennui, c'est une telle dépravation ! Quelle morale tient contre l'ennui ?

– Oh ! toi, si tu te mets à parler morale, où nous emmèneras-tu ? D'ailleurs il ne s'agit pas d'un mariage ridicule. Elle épouse... je te donne en cent... Gaillard du Gougier !

Point éblouie, ma mère pinça la bouche :

– Gaillard du Gougier ! Vraiment ! Joli parti, parlons-en !

– Le plus beau garçon de la région ! Toutes les filles à marier sont folles de lui.

– Pourquoi « de lui » ? Tu n'avais qu'à dire : « Toutes les filles à marier sont folles. » Enfin... c'est pour quand ?

– Ah ! Voilà !...

– Je pensais bien qu'il y avait un « Ah ! voilà ! »...

– Les Bonnarjaud attendent à mourir une grand-tante dont toute la fortune va aux jeunes filles. Si la tante meurt, ils viseront plus haut que le Gougier, tu conçois ! Les choses en sont là...

La semaine suivante, nous sûmes que les Gougier et les Bonnarjaud « se battaient froid ». Un mois après, la grand-tante morte, le baron de Bonnarjaud jetait le Gougier à la porte « comme un laquais ». Enfin, au déclin de l'été, Mme Saint-Alban, pareille à quelque Pomone de Bohême, traînant des guirlandes de vigne rouge et des bouquets de colchiques, s'en vint, agitée, et versa dans l'oreille de ma mère quelques mots que je n'entendis pas.

– Non ? se récria ma mère.

Puis elle rougit d'indignation.

– Que vont-ils faire ? demanda-t-elle après un silence.

Mme Saint-Alban haussa ses belles épaules où la viorne courait en bandoulière.

– Comment, ce qu'ils vont faire ? Les marier en cinq sec, naturellement ! Que feraient-ils d'autre, ces braves Bonnarjaud ? La chose daterait déjà de trois mois, dit-on. Il paraît que Gaillard du Gougier retrouvait la petite le soir, tout contre la maison, dans le pavillon qui...

– Et Mme de Bonnarjaud lui donne sa fille ?

Mme Saint-Alban rit comme une bacchante :

– Dame ! voyons ! Et encore bien contente, je suppose ! Qu'est-ce que tu ferais donc, à sa place ?

Les yeux gris de ma mère me cherchèrent, me couvèrent âprement :

– Ce que je ferais ? Je dirais à ma fille : « Emporte ton faix, ma fille, non pas loin de moi, mais loin de cet homme, et ne le revois plus ! Ou bien, si la vilaine envie t'en tient encore, retrouve-le la nuit, dans le pavillon. Cache-le, ton plaisir honteux. Mais ne laisse pas cet homme, au grand jour, passer le seuil de la maison, car il a été capable de te prendre dans l'ombre, sous les fenêtres de tes parents endormis. Pécher et t'en mordre les doigts, pécher, puis chasser l'indigne, ce n'est pas la honte irréparable. Ton malheur commence au moment où tu acceptes d'être la femme d'un malhonnête homme, ta faute est d'espérer qu'il peut te rendre un foyer, l'homme qui t'a détournée du tien. »

LE RIRE

ELLE riait volontiers, d'un rire jeune et aigu qui mouillait ses yeux de larmes, et qu'elle se reprochait après comme un manquement à la dignité d'une mère chargée de quatre enfants et de soucis d'argent. Elle maîtrisait les cascades de son rire, se gourmandait sévèrement « Allons ! voyons !... » puis cédait à une rechute de rire qui faisait trembler son pince-nez.

Nous nous montrions jaloux de déchaîner son rire, surtout quand nous prîmes assez d'âge pour voir grandir d'année en année, sur son visage, le souci du lendemain, une sorte de détresse qui l'assombrissait, lorsqu'elle songeait à notre destin d'enfants sans fortune, à sa santé menacée, à la vieillesse qui ralentissait les pas – une seule jambe et deux béquilles – de son compagnon chéri. Muette, ma mère ressemblait à toutes les mères épouvantées devant la pauvreté et la mort. Mais la parole rallumait sur son visage une jeunesse invincible. Elle put maigrir de chagrin et ne parla jamais tristement. Elle échappait, comme d'un bond, à une rêverie tragique, en s'écriant, l'aiguille à tricot dardée vers son mari :

– Oui ? Eh bien, essaie de mourir avant moi, et tu verras !

– Je l'essaierai, ma chère âme, répondait-il.

Elle le regardait aussi férocement que s'il eût, par distraction, écrasé une bouture de pélargonium ou cassé la petite théière chinoise niellée d'or :

– Je te reconnais bien là ! Tout l'égoïsme des

Funel et des Colette est en toi ! Ah ! pourquoi t'ai-je épousé ?

– Ma chère âme, parce que je t'ai menacée, si tu t'y refusais, d'une balle dans la tête.

– C'est vrai. Déjà à cette époque-là, tu vois ? tu ne pensais qu'à toi. Et maintenant, tu ne parles de rien de moins que de mourir avant moi. Va, va, essaie seulement !...

Il essaya, réussit du premier coup. Il mourut dans sa soixante-quatorzième année, tenant les mains de sa bien-aimée et rivant à des yeux en pleurs un regard qui perdait sa couleur, devenait d'un bleu vague et laiteux, pâlissait comme un ciel envahi par la brume. Il eut les plus belles funérailles dans un cimetière villageois, un cercueil de bois jaune, nu sous une vieille tunique percée de blessures, – sa tunique de capitaine au Ier zouaves – et ma mère l'accompagna sans chanceler au bord de la tombe, toute petite et résolue sous ses voiles, et murmurant tout bas, pour lui seul, des paroles d'amour.

Nous la ramenâmes à la maison, où elle s'emporta contre son deuil neuf, son crêpe encombrant qu'elle accrochait à toutes les clefs de tiroirs et de portes, sa robe de cachemire qui l'étouffait. Elle se reposa dans le salon, près du grand fauteuil vert où mon père ne s'assoirait plus et que le chien déjà envahissait avec délices. Elle était fiévreuse, rouge de teint, et disait, sans pleurs :

– Ah ! quelle chaleur ! Dieu, que ce noir tient chaud ! Tu ne crois pas que maintenant je puis remettre ma robe de satinette bleue ?

– Mais...

– Quoi ? c'est à cause de mon deuil ? J'ai horreur de ce noir ! D'abord c'est triste. Pourquoi veux-tu que j'offre, à ceux que je rencontre, un spectacle triste et déplaisant ? Quel rapport y a-t-il entre ce cachemire et ce crêpe et mes propres sentiments ? Que je te voie jamais porter mon deuil ! Tu sais très bien que je n'aime pour toi que le rose, et certains bleus...

Elle se leva brusquement, fit quelques pas vers une chambre vide et s'arrêta :

– Ah ! c'est vrai...

Elle revint s'asseoir, avouant, d'un geste humble et simple, qu'elle venait, pour la première fois de la journée, d'oublier qu'*il* était mort.

– Veux-tu que je te donne à boire, maman ? Tu ne voudrais pas te coucher ?

– Eh non ! Pourquoi ? Je ne suis pas malade !

Elle se rassit, et commença d'apprendre la patience, en regardant sur le parquet, de la porte du salon à la porte de la chambre vide, un chemin poudreux marqué par de gros souliers pesants.

Un petit chat entra, circonspect et naïf, un ordinaire et irrésistible chaton de quatre à cinq mois. Il se jouait à lui-même une comédie majestueuse, mesurait son pas et portait la queue en cierge, à l'imitation des seigneurs matous. Mais un saut périlleux en avant, que rien n'annonçait, le jeta séant par-dessus tête à nos pieds, où il prit peur de sa propre extravagance, se roula en turban, se mit debout sur ses pattes de derrière, dansa de biais, enfla le dos, se changea en toupie...

– Regarde-le, regarde-le, Minet-Chéri ! Mon Dieu, qu'il est drôle !

Et elle riait, ma mère en deuil, elle riait de son rire aigu de jeune fille, et frappait dans ses mains devant le petit chat... Le souvenir fulgurant tarit cette cascade brillante, sécha dans les yeux de ma mère les larmes du rire. Pourtant, elle ne s'excusa pas d'avoir ri, ni ce jour-là, ni ceux qui suivirent, car elle nous fit cette grâce, ayant perdu celui qu'elle aimait d'amour, de demeurer parmi nous toute pareille à elle-même, acceptant sa douleur ainsi qu'elle eût accepté l'avènement d'une saison lugubre et longue, mais recevant de toutes parts la bénédiction passagère de la joie, – elle vécut balayée d'ombre et de lumière, courbée sous des tourmentes, résignée, changeante et généreuse, parée d'enfants, de fleurs et d'animaux comme un domaine nourricier.

MA MÈRE ET LA MALADIE

— QUELLE heure est-il ? Déjà onze heures ! Tu vois ! Il va venir. Donne-moi l'eau de Cologne, et la serviette-éponge. Donne-moi aussi le petit flacon de violette. Et quand je dis de violette... Il n'y a plus de vraie odeur de violette. Ils la font avec de l'iris. Et encore, la font-ils avec de l'iris ? Mais tu t'en moques, toi, Minet-Chéri, tu n'aimes pas l'essence de violette. Qu'ont donc nos filles à ne plus aimer l'essence de violette ?

« Autrefois, une femme vraiment distinguée ne se parfumait qu'à la violette. Ce parfum dont tu t'inondes n'est pas une odeur convenable. Il te sert à donner le change. Oui, oui, à donner le change ! Tes cheveux courts, le bleu que tu mets à tes yeux, ces excentricités que tu te permets sur la scène, tout ça, c'est comme ton parfum, pour donner le change ; mais oui, pour que les gens croient que tu es une personne originale et affranchie de tous les préjugés... Pauvre Minet-Chéri ! Moi, je ne donne pas dans le panneau... Défais mes deux misérables petites nattes, je les ai bien serrées hier soir pour être ondulée ce matin. Sais-tu à quoi je ressemble ? A un poète sans talent, âgé et dans le besoin. On a bien du mal à conserver les caractéristiques d'un sexe, passé un certain âge. Deux choses me désolent, dans ma déchéance : ne plus pouvoir laver moi-même ma petite casserole bleue à bouillir le lait, et regarder ma main sur le drap. Tu comprendras plus tard que jusqu'à la tombe on oublie, à tout instant, la vieillesse.

« La maladie même ne vous contraint pas à cette mémoire-là. Je me dis, à chaque heure : « J'ai mal dans le dos. J'ai mal affreusement à la nuque. Je n'ai pas faim. La digitale m'enivre et me donne la nausée ! Je vais mourir, ce soir, demain, n'importe... » Mais je ne pense pas toujours au changement que m'a apporté l'âge. Et c'est en regardant ma main que je mesure ce changement. Je suis tout étonnée de ne pas trouver, sous mes yeux, ma petite main de vingt ans... Chut ! Tais-toi un peu que j'écoute, on chante... Ah ! c'est l'enterrement de la vieille Mme Lœuvrier. Quelle chance, on l'enterre enfin ! Mais non, je ne suis pas féroce ! Je dis « quelle chance ! » parce qu'elle n'embêtera plus sa pauvre idiote de fille, qui a cinquante-cinq ans et qui n'a jamais osé se marier par peur de sa mère. Ah ! les parents ! Je dis « quelle chance ! » quelle chance qu'il y ait une vieille dame de moins sur la terre...

« Non, décidément, je ne m'habitue pas à la vieillesse, pas plus à la mienne qu'à celle des autres. Et comme j'ai soixante et onze ans, il vaut mieux que j'y renonce, je ne m'y habituerai jamais. Sois gentille, Minet-Chéri, pousse mon lit près de la fenêtre, que je voie passer la vieille Mme Lœuvrier. J'adore voir passer les enterrements, on y apprend toujours quelque chose. Que de monde ! C'est à cause du beau temps. Ça leur fait une jolie promenade. S'il pleuvait, elle aurait eu trois chats pour l'accompagner, et M. Miroux ne mouillerait pas cette belle chape noir et argent. Et tant de fleurs ! ah ! les vandales ! tout le rosier soufre du jardin Lœuvrier y a péri. Pour une si vieille dame, ce massacre de jeunes fleurs...

« Et regarde, regarde la grande idiote de fille, j'en étais sûre, elle pleure toutes les larmes de son corps. Mais oui, c'est logique : elle a perdu son bourreau, son tourment, le toxique quotidien dont la privation va peut-être la tuer. Derrière elle, c'est ce que j'appelle les gueules d'héritiers. Oh ! ces figures ! Il y a des jours où je me félicite de ne pas vous laisser un sou. L'idée que je pourrais être suivie jusqu'à ma demeure dernière par un gars roux comme celui-là, le neveu, tu vois, celui qui ne va plus penser qu'à la mort de la fille... brrr !...

« Vous autres, au moins, je vous connais, vous me regretterez. A qui écriras-tu deux fois par semaine, mon pauvre Minet-Chéri ? Et toi, ce n'est rien encore, tu t'es évadée, tu as fait ton nid loin de moi. Mais ton frère aîné, quand il sera forcé de passer raide devant ma petite maison en rentrant de ses tournées, qu'il n'y trouvera plus son verre de sirop de groseilles et la rose qu'il emporte entre ses dents ? Oui, oui, tu m'aimes, mais tu es une fille, une bête femelle, ma pareille et ma rivale. Lui, j'ai toujours été sans rivale dans son cœur. Suis-je bien coiffée ? Non, pas de bonnet, rien que ma pointe de dentelle espagnole, il va venir. Toute cette foule noire a levé la poussière, je respire mal.

« Il est près de midi, n'est-ce pas ? Si on ne l'a pas détourné en route, ton frère doit être à moins d'une lieue d'ici. Ouvre à la chatte, elle sait aussi que midi approche. Tous les jours, elle a peur, après sa promenade matinale, de me retrouver guérie. Dormir sur mon lit, la nuit et le jour, quelle vie de Cocagne pour elle !... Ton frère devait aller ce matin à Arnedon, à Coulefeuilles, et revenir par Saint-André. Je n'oublie jamais ses itinéraires. Je le suis, tu comprends. A Arnedon, il soigne le petit de la belle Arthémise. Ces enfants de filles, ils souffrent du corset de leurs mères, qui cachent et écrasent leur petit sous un busc. Hélas ! ce n'est pourtant pas un si outrageant spectacle, qu'une belle fille impénitente avec son ventre tout chargé...

« Écoute, écoute... C'est la voiture en haut de la

côte ! Minet-Chéri, ne dis pas à ton frère que j'ai eu trois crises cette nuit. D'abord, je te le défends. Et si tu ne le lui dis pas, je te donnerai le bracelet avec les trois turquoises... Tu m'ennuies, avec tes raisons. Il s'agit bien d'honnêteté ! D'abord, je sais mieux que toi ce que c'est que l'honnêteté. Mais, à mon âge, il n'y a plus qu'une vertu : ne pas faire de peine. Vite, le second oreiller dans mon dos, que je me tienne droite à son entrée. Les deux roses, là, dans le verre... Ça ne sent pas la vieille femme enfermée, ici ? Je suis rouge ? Il va me trouver moins bien qu'hier, je n'aurais pas dû parler si longtemps, c'est vrai... Tire un peu la persienne, et puis écoute, Minet-Chéri, prête-moi ta houppe à poudre...

MA MÈRE ET LE FRUIT DÉFENDU

VINT un temps où ses forces l'abandonnèrent. Elle en était dans un étonnement sans bornes, et n'y voulait pas croire. Quand je venais de Paris la voir, elle avait toujours, quand nous demeurions seules l'après-midi dans sa petite maison, quelque péché à m'avouer. Une fois, elle retroussa le bord de sa robe, baissa son bas sur son tibia, montrant une meurtrissure violette, la peau presque fendue.

— Regarde-moi ça !

— Qu'est-ce que tu t'es encore fait, maman ?

Elle ouvrait de grands yeux, pleins d'innocence et de confusion.

— Tu ne le croirais pas : je suis tombée dans l'escalier !

— Comment, tombée ?

— Mais justement, comme rien ! Je descendais l'escalier et je suis tombée. C'est inexplicable.

— Tu descendais trop vite ?...

— Trop vite ? Qu'appelles-tu trop vite ? Je descendais vite. Ai-je le temps de descendre un escalier à l'allure du Roi-Soleil ? Et si c'était tout... Mais regarde !

Sur son joli bras, si frais encore auprès de la main fanée, une brûlure enflait sa cloque d'eau.

— Oh ! qu'est-ce que c'est encore ?

— Ma bouillotte chaude.

— La vieille bouilloire en cuivre rouge ? Celle qui tient cinq litres ?

— Elle-même. A qui se fier ? Elle qui me connaît depuis quarante ans ! Je ne sais pas ce qui lui a pris, elle bouillait à gros bouillons, j'ai voulu la retirer du feu, crac, quelque chose m'a tourné dans le poignet... Encore heureux que je n'aie que cette cloque... Mais quelle histoire ! Aussi j'ai laissé l'armoire tranquille...

Elle rougit vivement et n'acheva pas.

— Quelle armoire ? demandai-je d'un ton sévère.

Ma mère se débattit, secouant la tête comme si je voulais la mettre en laisse.

— Rien ! aucune armoire !

— Maman ! Je vais me fâcher !

— Puisque je dis : « J'ai laissé l'armoire tranquille », fais-en autant pour moi. Elle n'a pas bougé de sa place, l'armoire, n'est-ce pas ? Fichez-moi tous la paix, donc !

L'armoire... un édifice de vieux noyer, presque aussi large que haut, sans autre ciselure que la trace toute ronde d'une balle prussienne, entrée par le battant de droite et sortie par le panneau du fond... Hum !...

— Tu voudrais qu'on la mît ailleurs que sur le palier, maman ?

Elle eut un regard de jeune chatte, faux et brillant dans sa figure ridée :

— Moi ? je la trouve bien là : qu'elle y reste !

Nous convînmes quand même, mon frère le médecin et moi, qu'il fallait se méfier. Il voyait ma mère, chaque jour, puisqu'elle l'avait suivi et habitait le même village ; il la soignait avec une passion dissimulée. Elle luttait contre tous ses maux avec une élasticité surprenante, les oubliait, les déjouait, remportait sur eux des victoires passagères et éclatantes, rappelait à elle, pour des jours entiers, ses forces évanouies, et le bruit de ses combats, quand je passais quelques jours chez elle, s'entendait dans toute la petite maison, où je songeais alors au fox réduisant le rat...

A cinq heures du matin, en face de ma chambre, le son de cloche du seau plein posé sur l'évier de la cuisine m'éveillait...

– Que fais-tu avec le seau, maman ? Tu ne peux pas attendre que Joséphine arrive ?

Et j'accourais. Mais le feu flambait déjà, nourri de fagot sec. Le lait bouillait, sur le fourneau à braise pavé de faïence bleue. D'autre part fondait, dans un doigt d'eau, une tablette de chocolat pour mon déjeuner. Carrée dans son fauteuil de paille, ma mère moulait le café embaumé, qu'elle torréfiait elle-même. Les heures du matin lui furent toujours clémentes ; elle portait sur ses joues leurs couleurs vermeilles. Fardée d'un bref regain de santé, face au soleil levant, elle se réjouissait, tandis que tintait à l'église la première messe, d'avoir déjà goûté, pendant que nous dormions, à tant de fruits défendus.

Les fruits défendus, c'étaient le seau trop lourd tiré du puits, le fagot débité à la serpette sur une bille de chêne, la bêche, la pioche, et surtout l'échelle double, accotée à la lucarne du bûcher. C'étaient la treille grimpante dont elle rattachait les sarments à la lucarne du grenier, les hampes fleuries du lilas trop haut, la chatte prise de vertige et qu'il fallait cueillir sur le faîte du toit... Tous les complices de sa vie de petite femme rondelette et vigoureuse, toutes les rustiques divinités subalternes qui lui obéissaient et la rendaient si glorieuse de se passer de serviteurs prenaient maintenant figure et position d'adversaires. Mais ils comptaient sans le plaisir de lutter, qui ne devait quitter ma mère qu'avec la vie. A soixante et onze ans, l'aube la vit encore triomphante, non sans dommages. Brûlée au feu, coupée à la serpette, trempée de neige fondue ou d'eau renversée, elle trouvait le moyen d'avoir déjà vécu son meilleur temps d'indépendance avant que les plus matineux aient poussé leurs persiennes, et pouvait nous conter l'éveil des chats, le travail des nids, les nouvelles que lui laissaient, avec la mesure de lait et le rouleau de pain chaud, la laitière et la porteuse de pain, la chronique enfin de la naissance du jour.

C'est seulement une fois que je vis, un matin, la cuisine froide, la casserole d'émail bleu pendue au mur, que je sentis proche la fin de ma mère. Son mal connut maintes rémissions, pendant lesquelles la flamme de nouveau jaillit de l'âtre, et l'odeur de pain frais et de chocolat fondu passa sous la porte avec la patte impatiente de la chatte. Ces rémissions furent le temps d'alertes inattendues. On trouva ma mère et la grosse armoire de noyer chues toutes deux en bas de l'escalier, celle-là ayant prétendu transférer celle-ci, en secret, de l'unique étage au rez-de-chaussée. Sur quoi mon frère aîné exigea que ma mère se tînt en repos et qu'une vieille domestique couchât dans la petite maison. Mais que pouvait une vieille servante contre une force de vie jeune et malicieuse, telle qu'elle parvenait à séduire et entraîner un corps déjà à demi enchaîné par la mort ? Mon frère, revenant avant le soleil d'assister un malade dans la campagne, surprit un jour ma mère en flagrant délit de perversité. Vêtue pour la nuit, mais chaussée de gros sabots de jardinier, sa petite natte grise de septuagénaire retroussée en queue de scorpion sur sa nuque, un pied sur l'X de hêtre, le dos bombé dans l'attitude du tâcheron exercé, rajeunie par un air de délectation et de culpabilité indicibles, ma mère, au mépris de tous ses serments et de l'aiguail glacé, sciait des bûches dans sa cour.

LA « MERVEILLE »

— C'EST une merveille ! U-ne mer-veille !

— Je le sais bien. Elle s'arrange pour ça. Elle le fait exprès !

Cette réplique me vaut de la dame-que-je-connais-un-peu un regard indigné. Elle caresse encore une fois, avant de s'éloigner, la tête ronde de Pati-Pati, et soupire : « Amour, va ! » sur l'air de « pauvre martyr incompris... » Ma brabançonne lui dédie, en adieu, un coup d'œil sentimental et oblique — beaucoup de blanc, très peu de marron — et s'occupe immédiatement, pour faire rire un inconnu qui l'admire, d'imiter l'aboiement du chien. Pour imiter l'aboiement du chien, Pati-Pati gonfle ses joues de poisson-lune, pousse ses yeux hors des orbites, élargit son poitrail en bouclier, et profère à demi-voix quelque chose comme :

— Gou-gou-gou...

Puis elle rengorge son cou de lutteur, sourit, attend les applaudissements, et ajoute, modeste :

— Oa.

Si l'auditoire pâme, Pati-Pati, dédaignant le *bis*, le comble en modulant une série de sons où chacun peut reconnaître le coryza du phoque, la grenouille roucoulant sous l'averse d'été, parfois le klaxon, mais jamais l'aboiement du chien.

A présent, elle échange, avec un dîneur inconnu, une mimique de Célimène :

— Viens, dit l'inconnu, sans paroles.

– Pour qui me prenez-vous ? réplique Pati-Pati. Causons, si vous voulez. Je n'irai pas plus loin.

– J'ai du sucre dans ma soucoupe.

– Croyez-vous que je ne l'aie pas vu ? Le sucre est une chose, la fidélité en est une autre. Contentez-vous que je fasse miroiter, pour vous, cet œil droit, tout doré, prêt à tomber, et cet œil gauche, pareil à une bille d'aventurine... Voyez mon œil droit... Et mon œil gauche... Et encore mon œil droit...

J'interromps sévèrement le dialogue muet :

– Pati-Pati, c'est fini, ce dévergondage ?

Elle s'élance, corps et âme, vers moi :

– Certes, c'est fini ! Dès que tu le désires, c'est fini ! Cet inconnu a de bonnes façons... Mais tu as parlé : c'est fini ! Que veux-tu ?

– Nous partons. Descends, Pati-Pati.

Adroite et véhémente, elle saute sur le tapis. Debout, elle est pareille – large du rein, bien pourvue en fesse, le poitrail en portique – à un minuscule cob bai. Le masque noir rit, le tronçon de queue propage jusqu'à la nuque son frétillement, et les oreilles conjurent, tendues en cornes vers le ciel, une éventuelle jettatura. Telle s'offre, à l'enthousiasme populaire, ma brabançonne à poil ras, que les éleveurs estiment « un sujet bien typé », les dames sensibles « merveille », qui s'appelle officiellement Pati-Pati, plus connue dans mon entourage sous le nom de « démon familier ».

Elle a deux ans, la gaieté d'un négrillon, l'endurance d'un champion pédestre. Au bois, Pati-Pati devance la bicyclette ; elle se range, à la campagne, dans l'ombre de la charrette, tout le long d'un bon nombre de kilomètres.

Au retour, elle traque encore le lézard sur la dalle chaude...

– Mais tu n'es donc jamais fatiguée, Pati-Pati ?

Elle rit comme une tabatière :

– Jamais ! Mais quand je dors, c'est pour une

nuit entière, couchée sur le même flanc. Je n'ai jamais été malade, je n'ai jamais sali un tapis, je n'ai jamais vomi, je suis légère, libre de tout péché, nette comme un lis...

C'est vrai. Elle meurt de faim ponctuellement à l'heure des repas. Elle délire d'enthousiasme à l'heure de la promenade. Elle ne se trompe pas de chaise à table, chérit le poisson, prise la viande, se contente d'une croûte de pain, gobe en connaisseuse la fraise et la mandarine. Si je la laisse à la maison, le mot « non ! » lui suffit ; elle s'assoit sur le palier d'un air sage et cache un pleur. En métro, elle fond sous ma cape, en chemin de fer elle fait son lit elle-même, brassant une couverture et la moulant en gros plis. Dès la tombée du jour, elle surveille la grille du jardin et aboie contre tout suspect.

— Tais-toi, Pati-Pati.

— Je me tais, répond diligemment Pati-Pati. Mais je fais le fauve, à la lisière des six mètres de jardin. Je passe ma tête entre les barreaux, je terrorise le mauvais passant, et le chat qui attend la nuit pour herser les bégonias, le chien qui lève la patte contre le géranium-lierre...

— Assez de vigilance, rentrons, Pati-Pati.

— Rentrons ! s'écrie-t-elle de tout son corps. Non sans que j'aie, ici, médité une minute, dans l'attitude de la grenouille du jeu de tonneau, et là, un peu plus longtemps, contractée, le dos bombé en colimaçon... Voilà qui est fait. Rentrons ! Tu as bien fermé la porte ? Attention ! Tu oublies une des chattes qui se cache sous le rideau et prétend passer la nuit dans la salle à manger... Je te la houspille et je te la déloge et je te l'envoie dans son panier. Hop ! ça y est. A notre tour. Qu'est-ce que j'entends du côté de la cave ? Non, rien. Ma corbeille... mon pan de molleton sur la tête... et, plus urgente, ta caresse... Merci. Je t'aime. A demain.

Demain, si elle s'éveille avant huit heures, elle

attendra en silence, les pattes au bord du panier, les yeux fixés sur le lit. La promenade d'onze heures la trouve prête, et toujours impeccable. Si c'est le jour de bicyclette, Pati-Pati arque son dos pour que je la saisisse par la peau et que je l'installe en avant du guidon, toute ronde dans un panier à fraises. Dans les allées désertes du Bois, elle saute à terre : « A droite, Pati-Pati, à droite ! » En deux jours, elle a distingué sa droite, – pardon, ma droite – de sa gauche. Elle comprend cent mots de notre langue, sait l'heure sans montre, nous connaît par nos noms, attend l'ascenseur au lieu de monter l'escalier, offre d'elle-même, après le bain, son ventre et son dos au séchoir électrique.

Si j'étale, au moment du travail, les cahiers de papier teinté sur le bureau, elle se couche, soigne ses ongles sans bruit et rêve, déférente, immobile. Le jour qu'un éclat de verre la blessa, elle tendit d'elle-même sa patte, détourna la tête pendant le pansement, de sorte que je ne savais plus si je soignais une bête, ou bien un enfant courageux... Quand la prendrai-je en faute ? Quel accident mit, sous un crâne rond de chien minuscule, tant de complicité humaine ? On la nomme « merveille ». Je cherche ce que je pourrais bien lui reprocher...

***

Ainsi crut, en vertu comme en beauté, Pati-Pati, fleur du Brabant. Dans le XVIe arrondissement, son renom se répandit tellement que je consentis, pour elle, à un mariage. Son fiancé, quand il l'approcha, ressemblait à un hanneton furieux, dont il avait la couleur, le dos robuste, et ses petites pattes de conquérant piaffaient et griffaient le dallage. Pati-Pati l'aperçut à peine, et la brève entrevue où elle se montra si distraite n'eut point de lendemain.

Cependant, tout le long de soixante-cinq jours,

Pati-Pati enfla, prit la forme d'un lézard des sables, ventru latéralement, puis celle d'un melon un peu écrasé, puis...

Deux Pati-Pati d'un âge tendre et d'un modèle extrêmement réduit vaguent maintenant dans une corbeille. Préservés de toute mutilation traditionnelle, ils portent la queue en trompe de chasse et les oreilles en feuilles de salade.

Ils tètent un lait abondant, mais qu'il leur faut acheter par des acrobaties au-dessus de leur âge. Pati-Pati n'a rien de ces lices vautrées, tout en ventre et en tétines, qui s'absorbent, béates, en leur tâche auguste. Elle allaite assise, contraignant ses chiots à l'attitude du mécanicien aplati sous le tacot en panne. Elle allaite couchée en sphinx et le nez sur les pattes – « Tant pis ! qu'ils s'arrangent ! » – et s'en va, si le téléphone sonne, du côté de l'appareil, remorquant deux nourrissons ventousés à ses mamelles. Ils tètent, oubliés, vivaces, ils tètent au petit bonheur, et prospèrent malgré leur mère et son humain souci – trop humain – de toutes choses humaines.

– Qui a téléphoné ? J'entends la voiture... Où est mon collier ? Ton sac et tes gants sont sur la table, nous allons sortir, n'est-ce pas ? On a sonné ! Tu m'emmènes au *Matin ?* Je sens qu'il est l'heure... Qu'est-ce qui traîne sous moi ? encore ce petit chien ! je le rencontre partout... Et cet autre, donc... On ne voit que lui dans la maison. Ils sont gentils ? Peuh !... oui, gentils. Partons, partons, dépêche-toi... Je ne te perds pas de l'œil, si tu allais sortir sans moi...

Pati-Pati, mes amis vous nommeront toujours, sans que je proteste, « merveille des merveilles », et « perfection ». Mais je sais maintenant ce qui vous manque : vous n'aimez pas les animaux.

BA-TOU

JE l'avais capturée au quai d'Orsay, dans un grand bureau dont elle était, avec une broderie chinoise, le plus magnifique ornement. Lorsque son maître éphémère, embarrassé d'un aussi beau don, m'appela par le téléphone, je la trouvai assise sur une table ancienne, le derrière sur des documents diplomatiques, et affairée à sa toilette intime. Elle rapprocha ses sourcils à ma vue, sauta à terre et commença sa promenade de fauve, de la porte à la fenêtre, de la fenêtre à la porte, avec cette manière de tourner et de changer de pied contre l'obstacle, qui appartient à elle et à tous ses frères. Mais son maître lui jeta une boule de papier froissé et elle se mit à rire, avec un bond démesuré, une dépense de sa force inemployée, qui la montrèrent dans toute sa splendeur. Elle était grande comme un chien épagneul, les cuisses longues et musclées attachées à un rein large, l'avant-train plus étroit, la tête assez petite, coiffée d'oreilles fourrées de blanc, peintes, au-dehors, de dessins noirs et gris rappelant ceux qui décorent les ailes des papillons crépusculaires. Une mâchoire petite et dédaigneuse, des moustaches raides comme l'herbe sèche des dunes, et des yeux d'ambre enchâssés de noir, des yeux au regard aussi pur que leur couleur, des yeux qui ne faiblissent jamais devant le regard humain, des yeux qui n'ont jamais menti... Un jour, j'ai voulu compter les taches noires qui brodaient sa robe, couleur de blé sur le dos et la tête, blanc d'ivoire sur le ventre ; je n'ai pas pu.

— Elle vient du Tchad, me dit son maître. Elle pourrait venir aussi de l'Asie. C'est une once, sans doute. Elle s'appelle Bâ-Tou, ce qui veut dire « le chat », et elle a vingt mois.

Je l'emportai ; cependant, elle mordait sa caisse de voyage et glissait, entre les lattes de la prise d'air, une patte tantôt épanouie et tantôt refermée, comme une sensible fleur marine.

Je n'avais jamais possédé, dans ma maison, une créature aussi naturelle. La vie quotidienne me la révéla intacte, préservée encore de toute atteinte civilisatrice. Le chien gâté calcule et ment, le chat dissimule et simule. Bâ-Tou ne cachait rien. Toute saine et fleurant bon, l'haleine fraîche, je pourrais écrire qu'elle se comportait en enfant candide, s'il y avait des enfants candides. La première fois qu'elle se mit à jouer avec moi, elle me saisit fortement la jambe pour me renverser. Je l'interpellai avec rudesse, elle me lâcha, attendit, et recommença. Je m'assis par terre et lui envoyai mon poing sur son beau nez velouté. Surprise, elle m'interrogea du regard, je lui souris et lui grattai la tête. Elle s'effondra sur le flanc, sonore d'un ronron sourd, et m'offrit son ventre sans défense. Une pelote de laine qu'elle reçut en récompense l'affola : de combien d'agneaux, enlevés aux maigres pâtures africaines, reconnaissait-elle, lointaine et refroidie, l'odeur ?...

Elle coucha dans un panier, se confia au bassin de sciure comme un chat bien appris, et quand je m'étendis dans l'eau tiède, sa tête rieuse et terrible parut, avec deux pattes, au rebord de la baignoire...

Elle aimait l'eau. Je lui donnais souvent, le matin, une cuvette d'eau, qu'elle vidait à grands jeux de pattes. Toute mouillée, heureuse, elle ronronnait. Elle se promenait, grave, une pantoufle volée entre les dents. Elle précipitait et remontait vingt fois sa boule de bois dans le petit escalier. Elle accourait à son nom : « Bâ-Tou » avec un cri charmant et doux, et demeurait rêvant, les yeux ouverts, nonchalante, aux pieds de la femme de chambre qui cousait. Elle mangeait sans hâte et cueillait délicatement la viande au bout des doigts. Tous les matins, je pus lui donner ma tête, qu'elle étreignait des quatre pattes et dont elle râpait, d'une langue bien armée, les cheveux coupés. Un matin, elle étreignit trop fort mon bras nu, et je la châtiai. Offensée, elle sauta sur moi, et j'eus sur les épaules le poids déconcertant d'un fauve, ses dents, ses griffes... J'employai toutes mes forces et jetai Bâ-Tou contre un mur. Elle éclata en miaulements terribles, en rugissements, elle fit entendre son langage de bataille, et sauta de nouveau. J'usai de son collier pour la rejeter contre le mur, et la frappai au centre du visage. A ce moment, elle pouvait, certes, me blesser gravement. Elle n'en fit rien, se contint, me regarda en face et réfléchit... Je jure bien que ce n'est pas la crainte que je lus dans ses yeux. Elle *choisit,* à ce moment décisif, elle opta pour la paix, l'amitié, la loyale entente ; elle se coucha, et lécha son nez chaud...

Quand je vous regrette, Bâ-Tou, j'ajoute à mon regret la mortification d'avoir chassé de chez moi une amie, une amie qui n'avait, Dieu merci, rien d'humain. C'est en vous voyant debout sur le mur du jardin – un mur de quatre mètres, sur le faîte duquel vous vous posiez, d'un bond – occupée à maudire quelques chats épouvantés, que j'ai commencé à trembler. Et puis, une autre fois, vous vous êtes approchée de la petite chienne que je tenais sur mes genoux, vous avez mesuré, sous son oreille, la place exacte d'une fontaine mystérieuse que vous avez léchée, léchée, léchée, avant de la tâter des dents, lente et les yeux fermés... J'ai compris, et je vous ai seulement dit tout bas, avec chagrin : « Oh !. Bâ-Tou !... » et vous avez tressailli tout entière, de honte et d'avidité refrénées.

Hélas ! Bâ-Tou, que la vie simple, que la fauve tendresse sont difficiles, sous notre climat... Le ciel romain vous abrite à présent ; un fossé, trop large pour votre élan, vous sépare de ceux qui vont, au jardin zoologique, narguer les félins ; et j'espère que vous m'avez oubliée, moi qui, vous sachant innocente de tout, sauf de votre race, souffris qu'on fît de vous une bête captive.

BELLAUDE

– MADAME, Bellaude s'est sauvée.

– Depuis quand ?

– De ce matin, dès que j'ai ouvert. Il y avait un blanc et noir qui l'attendait à la porte.

– Ah ! mon Dieu ! Espérons qu'elle va rentrer ce soir...

La voilà donc partie. Sauf que ce mois est marqué pour les amours canines, rien ne faisait prévoir sa fuite ; elle nous suivait sans faute et sans distraction, belle dans sa robe noire et feu de bas-rouge, son amble nonchalant agitant à ses pattes de derrière, comme des pendeloques, ses doubles ergots. Elle flairait l'herbe, broutait, évitait avec mépris la frénésie circulaire des brabançonnes. Et puis, un jour, elle tomba en arrêt, pointa joyeusement les oreilles, visa un point lointain, sourit, et tout son corps s'écria, en clair langage de chienne :

– Ah ! le voilà !

Le temps de lui demander : « Qui donc ? » elle était à deux cents mètres, car elle l'avait vu, lui, *Lui,* – quelque très petit roquet jaune...

Elle recherche – elle, longue et légère comme une biche, elle, haute et d'encolure orgueilleuse – les nains, les bâtards de fox et de basset, les faux terriers, les loulous trépidants et minuscules. Elle aime entre tous un caniche blanc, enfoui depuis des hivers sous une neige terreuse que ne fond nul été. Il entoure ma bas-rouge d'une assiduité résignée de vieux lettré. Il la contemple d'en bas, comme par-dessus des lunettes, à travers sa chevelure blanche mal soignée. Il l'escorte, sans plus, et va derrière elle d'un petit trot traquenardeur qui secoue tous ses écheveaux de poils blanc sale.

La voilà partie. Où ? Pour combien de temps ? Je ne crains pas qu'on l'écrase ni qu'on la vole ; elle a, quand une main étrangère se tend vers elle, une manière serpentine de détourner le col, de montrer la dent qui déconcerte les plus résolus. Mais il y a le lasso, la fourrière...

Un jour passe.

– Madame, Bellaude n'est pas rentrée.

Il a plu cette nuit, une pluie douce déjà printanière. Où erre la dévergondée ? Elle jeûne ; mais elle peut boire : les ruisseaux coulent, le bois miroite de flaques.

Un petit chien mouillé monte la garde devant ma porte, à la grille du jardinet. Lui aussi, il attend Bellaude... Au Bois, je demande à mon ami le garde s'il n'a pas vu la grande chienne noire qui a du feu aux pattes, aux sourcils et aux joues... Il secoue la tête :

– Je n'ai rien vu de pareil. Qu'est-ce que j'ai donc vu aujourd'hui ? Pas grand-chose. Moins que rien. Une dame qui n'était pas d'accord avec son mari, et un monsieur en souliers vernis qui m'a demandé si je ne connaîtrais pas deux pièces à louer dans une des maisons de gardes, vu qu'il était sans domicile... Vous voyez, rien d'extraordinaire.

Un jour passe encore.

– Bellaude n'est toujours pas rentrée, madame...

Je pars pour la promenade d'onze heures et demie, résolue à battre les futaies d'Auteuil. Un printemps caché y frémit jusque dans le vent, aigre s'il s'accélère, mol et doux quand il s'attarde. Point de chienne noire et feu, mais voici les cornes des futures jacinthes et la feuille déjà large de l'arum pied-de-veau. Voici l'abeille égarée, affamée, qui titube sur la mousse humide et qu'on peut réchauffer dans la main sans risque de piqûre. Sur les sureaux fuse, à chaque aisselle de branche, une houppe neuve de verdure tendre. Et six années m'ont appris à reconnaître, dans le trille rauque, dans la courte gamme chromatique descendante que jette, dès février, un gosier d'oiseau, la voix du grand chanteur, un rossignol d'Auteuil fidèle à son bosquet, un rossignol dont la voix, au printemps, illumine les nuits. Au-dessus de ma tête, il étudie ce matin le chant qu'il oublie tous les ans. Il recommence et recommence sa gamme chromatique imparfaite, l'interrompt par une sorte de rire enroué, mais déjà dans quelques notes tinte le cristal d'une nuit de mai, et, si je ferme les yeux, j'appelle malgré moi, sous ce chant, le parfum qui descend lourdement des acacias en fleur...

Mais où est ma chienne ? Je longe une palissade en lattes de châtaignier, je franchis des fils de fer tendus à ras de terre, puis je bute contre une clôture de châtaignier, au bout de laquelle m'attend un fil de fer tendu à ras de terre. Quelle sollicitude perverse multiplie, pour décourager l'amateur de paysage et rompre les os du promeneur, palissades et fils, les uns et les autres nuisibles ? Je rebrousse chemin, lasse de longer, après des fortifications, une palissade de châtaignier qui défend, je le jure, une seconde palissade, servant elle-même de rempart, un peu plus loin, à un grillage de bois peint en vert... Et l'on ose accuser la Ville de négliger le Bois !

Quelque chose remue derrière une de ces vaines clôtures... Quelque chose de noir... de feu... de blanc... de jaune... Ma chienne ! c'est ma chienne !

Edilité bénie ! Tutélaires barricades ! Enclos providentiels ! C'est non seulement ma chienne, à l'abri des voitures, c'est, en outre, – un, deux, trois, quatre, cinq – cinq chiens autour d'elle, boueux, quelques-uns saignants de batailles, tous haletants, fourbus, le plus grand n'atteint pas trente centimètres au garrot...

– Bellaude !

Elle ne m'avait pas entendue venir, elle jouait Célimène. Vertueuse malgré elle, inaccessible par hasard, elle perd contenance à mon cri et d'un coup se prosterne, rappelée à la servilité...

– Oh ! Bellaude !...

Elle rampe, elle m'implore. Mais je ne veux pas pardonner encore et je lui désigne seulement, d'un geste théâtral, par-dessus les fortifications abolies, le chemin du devoir, le gîte... Elle n'hésite pas, elle saute la palissade et distance aisément, en quelques foulées, la meute des pygmées qui suit, langues fottantes...

Qu'ai-je fait là ? Si Bellaude allait rencontrer, sur sa route, un séducteur de belle stature...

– Madame, Bellaude est rentrée.

– Avec cinq petits chiens ?

– Non, madame, avec un grand.

– Ah ! mon Dieu ! Où est-il ?

– Là, madame, sur le talus.

Oui, il est là, et je me souviens, avec un soupir de soulagement, que la chanson dit : « Il faut des époux assortis... » Celui qui attend Bellaude est un dogue d'Ulm, au regard obtus, passif sous son collier et sa muselière de cuir vert, et aussi lourd, aussi large, aussi haut – le hasard soit loué ! – qu'un veau.

LES DEUX CHATTES

Il n'est qu'un jeune chat, fruit des amours – et de la mésalliance – de Moune, chatte persane bleue, avec n'importe quel rayé anonyme. Dieu sait si le rayé abonde, dans les jardins d'Auteuil ! Par les jours de printemps précoce, aux heures du jour où la terre, dégelée, fume sous le soleil et embaume, certains massifs, certaines plates-bandes ameublies qui attendent les semis et les repiquages, semblent jonchés de couleuvres : les seigneurs rayés, ivres d'encens végétal, tordent leurs reins, rampent sur le ventre, fouettent de la queue et râpent délicatement sur le sol leur joue droite, leur joue gauche, pour l'imprégner de l'odeur prometteuse de printemps, – ainsi une femme touche, de son doigt mouillé de parfum, ce coin secret, sous l'oreille.

Il n'est qu'un jeune chat, fils d'un de ces rayés. Il porte sur son pelage les raies de la race, les vieilles marques de l'ancêtre sauvage. Mais le sang de sa mère a jeté, sur ces rayures, un voile floconneux et bleuâtre de poils longs, impalpables comme une transparente gaze de Perse. Il sera donc beau, il est déjà ravissant, et nous essayons de le nommer Kamaralzaman – en vain, car la cuisinière et la femme de chambre, qui sont des personnes raisonnables, traduisent Kamaralzaman par Moumou.

Il est un jeune chat, gracieux à toute heure. La boule de papier l'intéresse, l'odeur de la viande le change en dragon rugissant et minuscule, les passereaux volent trop vite pour qu'il puisse les suivre de l'œil, mais il devient cataleptique, derrière la vitre, quand ils picorent sur la fenêtre. Il fait beaucoup de bruit en tétant, parce que ses dents poussent... C'est un petit chat, innocent au milieu d'un drame.

La tragédie commença, un jour que Noire du Voisin — dirait-on pas un nom de noblesse paysanne ? — pleurait, sur le mur mitoyen, la perte de ses enfants, noyés le matin. Elle pleurait à la manière terrible de toutes les mères privées de leur fruit, sans arrêt, sur le même ton, respirant à peine entre chaque cri, exhalant une plainte après l'autre plainte pareille. Le tout petit chat Kamaralzaman, en bas, la regardait. Il levait sa figure bleuâtre, ses yeux couleur d'eau savonneuse aveuglés de lumière, et n'osait plus jouer à cause de ce grand cri... Noire du Voisin le vit et descendit comme une folle. Elle le flaira, connut l'odeur étrangère, râla « khhh... » de dégoût, gifla le petit chat, le flaira encore, lui lécha le front, recula d'horreur, revint, lui dit : « Rrrrou... » tendrement — enfin manifesta de toutes manières son égarement. Le temps lui manqua pour prendre un parti. Pareille à un lambeau de nuée, Moune, aussi bleue qu'un orage, et plus rapide, arrivait... Rappelée à sa douleur et au respect des territoires, Noire du Voisin disparut, et son appel, plus lointain, endeuilla toute cette journée...

Elle revint le lendemain, prudente, calculatrice comme une bête de la jungle. Plus de cris : une hardiesse et une patience muettes. Elle attendit l'instant où, Moune repue, Kamaralzaman évadé chancelait, pattes molles, sur les graviers ronds du jardin. Elle vint avec un ventre lourd de lait, des tétines tendues qui crevaient sa toison noire, des roucoulements assourdis, des invites mystérieuses de nourrice... Et pendant que le petit chat, en tétant, la foulait à temps égaux, je la voyais fermer les yeux et palpiter des narines comme un être humain qui se retient de pleurer.

C'est alors que la vraie mère parut, le poil tout droit sur le dos. Elle ne s'élança pas tout de suite, mais dit quelque chose d'une voix rauque. Noire du Voisin, éveillée en sursaut de son illusion maternelle, debout, ne répondit que par un long grondement bas, en soufflant, par intervalles, d'une gueule empourprée. Une injure impérieuse, déchirante de Moune, l'interrompit, et elle recula d'un pas ; mais elle jeta, elle aussi, une parole menaçante. Le petit chat effaré gisait entre elles, hérissé, bleuâtre, pareil à la houppe du chardon. J'admirais qu'il pût y avoir, au lieu du pugilat immédiat, de la mêlée féline où les flocons de poils volent, une explication, une revendication presque intelligibles pour moi. Mais soudain, sur une insinuation aiguë de Noire du Voisin, Moune eut un bond, un cri, un « Ah ! je ne peux pas supporter cela ! » qui la jeta sur sa rivale. Noire rompit, atteignit le tilleul, s'y suspendit et franchit le mur, – et la mère lava son petit, souillé par l'étrangère.

Quelques jours passèrent, pendant lesquels je n'observai rien d'insolite. Moune, inquiète, veillait trop et mangeait mal. Chaude de fièvre, elle avait le nez sec, se couchait sur une console de marbre, et son lait diminuait. Pourtant, Kamaralzaman, dodu, roulait sur les tapis aussi large que long. Un matin que je déjeunais auprès de Moune, et que je la tentais avec du lait sucré et de la mie de croissant, elle tressaillit, coucha les oreilles, sauta à terre et me demanda la porte d'une manière si urgente que je la suivis. Elle ne se trompait pas : l'impudente Noire et Kamaralzaman, l'un tétant l'autre, mêlés, heureux, gisaient sur la première marche, dans l'ombre, au bas de l'escalier où se précipita Moune – et où je la reçus dans mes bras, molle, privée de sentiment, évanouie comme une femme...

C'est ainsi que Moune, chatte de Perse, perdit son lait, résigna ses droits de mère et de nourrice, et contracta sa mélancolie errante, son indifférence aux intempéries et sa haine des chattes noires. Elle a maudit tout ce qui porte toison ténébreuse, mouche blanche au poitrail, et rien ne paraît plus de sa douleur sur son visage. Seulement, lorsque Kamaralzaman vient jouer trop près d'elle, elle replie ses pattes sous ses mamelles taries, feint le sommeil et ferme les yeux.

CHATS

ILS sont cinq autour d'elle, tous les cinq issus de la même souche et rayés à l'image de leur ancêtre, le chat sauvage. L'un porte ses rayures noires sur un fond rosé comme le plumage de la tourterelle, l'autre n'est, des oreilles à la queue, que zébrures pain brûlé sur champ marron très clair, comme une fleur de giroflée. Un troisième paraît jaune, à côté du quatrième, tout ceintures de velours noir, colliers, bracelets, sur un dessous gris argent d'une grande élégance. Mais le cinquième, énorme, resplendit dans sa fourrure fauve à mille bandes. Il a les yeux vert de menthe, et la large joue velue qu'on voit au tigre.

Elle, mon Dieu, c'est la Noire. Une Noire pareille à cent autres Noires, mince, bien vernissée, la mouche blanche au poitrail et la prunelle en or pur. Nous l'avons nommée la Noire parce qu'elle est noire, de même que la grise s'appelle Chatte-Grise et la plus jeune des bleues de Perse Jeune-Bleue. Nous n'avons pas risqué la méningite.

Janvier, mois des amours félines, pare les chats d'Auteuil de leur plus belle robe et racole, pour nos trois chattes, une trentaine de matous. Le jardin s'emplit de leurs palabres interminables, de leurs batailles, et de leur odeur de buis vert. La Noire seule marque qu'ils l'intéressent. C'est trop tôt pour Jeune-Bleue et Chatte-Grise, qui contemplent de haut la démence des mâles. La

Noire, pour l'heure, se tient mal, et ne va pas plus loin. Elle choisit longuement dans le jardin une branche taillée en biseau, élaguée de l'an dernier, pour s'en servir en guise de brosse à dents d'abord, puis de gratte-oreilles, enfin de gratte-flancs. Elle s'y râpe, elle s'y écorche, en donnant tous les signes de la satisfaction. Une danse horizontale suit, au cours de laquelle elle imite l'anguille hors de l'eau. Elle se roule, chemine sur le dos et le ventre, souille sa robe, et les cinq matous avec elle avancent, reculent comme un seul matou. Souvent, le doyen magnifique, n'y tenant plus, s'élance, et porte sur la tentatrice une patte pesante... Tout aussitôt, la chorégraphe voluptueuse se redresse, gifle l'imprudent et s'accroupit, pattes rentrées sous le ventre, avec un aigre et revêche visage de vieille dévote. En vain le puissant chat rayé, pour montrer sa soumission et rendre hommage à la Noire, feint-il de choir les quatre pattes en l'air, défaillant et soumis. Elle le relègue parmi le quintette anonyme, et gifle équitablement n'importe quel rayé, s'il manque à l'étiquette et la salue de trop près.

Ce ballet de chats dure depuis ce matin, sous mes fenêtres. Aucun cri, sauf le « rrr.... » dur et harmonieux qui roule par moments dans la gorge des matous. La Noire, muette et lascive, provoque, puis châtie, et savoure sa toute-puissance éphémère. Dans huit jours, le même mâle qui tremble devant elle, qui patiente et perd le boire et le manger, la tiendra solidement par la nuque... Jusque-là, il plie.

Un sixième rayé vient d'apparaître. Mais aucun des matous n'a daigné le toiser en rival. Gras, velouté, candide, il a perdu dès son jeune âge tout souci des jeux de l'amour, et les nuits tragiques de janvier, les clairs de lune de juin ont cessé pour lui, à jamais, d'être fatidiques. Ce matin, il se sent las de manger, fatigué de dormir. Il promène, sous le petit soleil d'argent, sa robe lustrée, et la fatuité sans malice qui lui valut son nom de Beau-Garçon. Il sourit au temps clair, aux passereaux confiants. Il sourit à la Noire, à sa frémissante escorte. Il taquine d'une patte molle un vieil oignon de tulipe qu'il délaisse pour un gravier rond. La queue de la Noire fouette et se tord comme un serpent coupé : il s'élance, la capture, la mordille, et reçoit une demi-douzaine de mornifles, sèches et griffues, à le défigurer... Mais Beau-Garçon, déchu du rang de mâle, ignore tout du protocole amoureux, et redescend à l'équité pure. Injustement battu, il ne prend que le temps de gonfler ses poumons et de reculer d'un pas, avant d'administrer à la Noire une correction telle qu'elle en suffoque, râle de rage et saute le mur pour cacher sa honte dans le jardin voisin.

Et comme j'allais courir, craignant la fureur des matous, au secours de Beau-Garçon, je vis qu'il faisait retraite avec lenteur, majesté et inconscience, parmi les rayés immobiles, silencieux et pour la première fois déférents devant l'eunuque qui avait osé battre la reine.

LE VEILLEUR

DIMANCHE. – Les enfants ont, ce matin, une drôle de figure. Je leur ai déjà vu cette figure-là, au moment où ils organisaient, dans le grenier, une représentation, avec costumes, masques, linceuls et chaînes traînantes, de leur drame, *Le Revenant de la Commanderie,* élucubration à laquelle ils ont dû une semaine de fièvre, peurs nocturnes et langue crayeuse, intoxiqués qu'ils étaient de leurs propres fantômes. Mais c'est une vieille histoire. Bertrand a maintenant dix-huit ans, et projette de réformer, comme il sied à son âge, le régime financier de l'Europe ; Renaud, qui passe quatorze ans, ne songe qu'à monter et démonter des moteurs, et Bel-Gazou me pose cette année des questions d'une banalité désolante : « Est-ce qu'à Paris je pourrai bientôt porter des bas ? Est-ce qu'à Paris je pourrai avoir un chapeau ? Est-ce qu'à Paris tu me feras friser le dimanche ? »

N'importe, je les trouve tous trois singuliers et disposés à parler bas dans les coins.

LUNDI. – Les enfants n'ont pas bonne mine ce matin.

– Qu'est-ce que vous avez donc, les enfants ?

– Rien du tout, tante Colette ! s'écrient mes beaux-fils.

– Rien du tout, maman ! s'écrie Bel-Gazou.

Quel bel ensemble ! Voilà un mensonge bien agencé. Ça devient sérieux, d'autant plus sérieux que j'ai surpris, à la brune, ce bout de dialogue entre les deux garçons, derrière le tennis :

– Mon vieux, il n'a pas arrêté de minuit à trois heures.

– A qui le dis-tu, mon petit ! De minuit à quatre heures, oui ! Je n'ai pas fermé l'œil. Il faisait : « pom... pom... pom... » comme ça, lentement... Comme avec des pieds nus, mais lourds, lourds...

Ils m'aperçurent et fondirent sur moi comme deux tiercelets, avec des rires, des balles blanches et rouges, une étourderie apprêtée et bavarde... Je ne saurai rien aujourd'hui.

MERCREDI. – Quand j'ai traversé, hier soir, vers 11 heures, la chambre de Bel-Gazou pour gagner la mienne, elle ne dormait pas encore. Elle gisait sur le dos, les bras au long d'elle, et ses prunelles sombres bougeaient sous la frange des cheveux. Une lune chaude d'août, grandissante, balançait mollement l'ombre du magnolia sur le parquet et le lit blanc répandait une lumière bleue.

– Tu ne dors pas ?

– Non, maman.

– A quoi penses-tu, toute seule comme ça ?

– J'écoute.

– Et quoi donc ?

– Rien, maman.

Au même instant, j'entendis, distinctement, le bruit d'un pas lourd et non chaussé à l'étage supérieur. L'étage supérieur, c'est un long grenier où personne ne couche, où personne, la nuit tombée, n'a l'occasion de passer, et qui conduit aux combles de la plus ancienne tour. La main de ma fille, que je serrais, se contracta dans la mienne.

Deux souris passèrent dans le mur en jouant et en poussant des cris d'oiseau.

– Tu as peur des souris, maintenant ?

– Non, maman.

Au-dessus de nous, le pas reprit, et je demandai malgré moi :

– Mais qui donc marche là-haut ?

Bel-Gazou ne répondit pas, et ce mutisme me fut désagréable.

– Tu n'entends pas ?

– Si, maman.

– « Si, maman ! » c'est tout ce que tu trouves à répondre ?

La petite pleura brusquement et s'assit sur son lit.

– Ce n'est pas ma faute, maman. *Il* marche comme ça toutes les nuits...

– Qui ?

– Le pas.

– Le pas de qui ?

– De personne.

– Mon Dieu, que ces enfants sont bêtes ! Vous voilà encore dans ces histoires, toi et tes frères ? Ce sont ces sottises que vous ruminez dans les coins ? Je monte, tiens. Oui, je vais t'en donner, moi, des pas au plafond !

Au dernier palier, des grappes de mouches, agglutinées aux poutres, ronflèrent comme un feu de cheminée sur le passage de ma lampe que l'appel d'air éteignit dès que j'ouvris la porte du grenier. Mais il n'était pas besoin de lampe dans ces combles aux lucarnes larges, où la lune entrait par nappes de lait. La campagne de minuit brillait à perte de vue, bosselée d'argent, vallonnée de cendre mauve, mouillée, au plus bas des prés, d'une rivière de brouillard étincelant qui mirait la lune... Une petite chevêche imita le chat dans un arbre, et le chat lui répondit... Mais rien ne marchait dans le grenier, sous la futaie des poutres croisées. J'attendis un long moment, je humai la brève fraîcheur nocturne, l'odeur de blé battu qui s'attache au grenier, et je redescendis. Bel-Gazou, fatiguée, dormait.

SAMEDI. – J'ai écouté toutes les nuits, depuis mercredi. On marche là-haut, tantôt à minuit, tantôt vers trois heures. Cette nuit, j'ai gravi et descendu quatre fois l'étage, inutilement. Au grand déjeuner, je force la confiance des enfants, qui sont d'ailleurs à bout de dissimulation.

— Mes chéris, il va falloir que vous m'aidiez à éclaircir quelque chose. On va certainement s'amuser énormément, — même Bertrand qui est revenu de tout. Figurez-vous que j'entends marcher, au-dessus de la chambre de Bel-Gazou, toutes les...

Ils explosent tous à la fois :

— Je sais, je sais ! crie Renaud. C'est le Commandeur en armure, qui revenait déjà du temps de grand-père, Page m'a tout raconté, et...

— Quelle blague ! laisse tomber Bertrand, détaché. La vérité c'est que des phénomènes d'hallucination isolée et collective se manifestent ici depuis que la Vierge, en ceinture bleue et traînée par quatre chevaux blancs, a surgi devant Guitras et lui a dit...

— Elle lui a rien dit ! piaille Bel-Gazou. Elle lui a écrit !

— Par la poste ? raille Renaud. C'est enfantin !

— Et ton Commandeur, ce n'est pas enfantin ? dit Bertrand.

— Pardon ! rétorque Renaud tout rouge. Le Commandeur c'est une tradition de famille. Ta Vierge, c'est une fable de village comme il en traîne partout...

— Dites donc, les enfants, vous avez fini ? Je peux placer un mot ? Je ne sais qu'une chose, c'est qu'il y a dans le grenier des bruits de pas inexplicables. Je vais guetter la nuit prochaine. Bête ou homme, nous saurons qui marche. Que ceux qui veulent guetter avec moi... Bon. Adopté à mains levées !

DIMANCHE. — Nuit blanche. Pleine lune. Rien à signaler, que le bruit de pas entendu derrière la porte entrouverte du grenier, mais interrompu par Renaud qui, harnaché d'une cuirasse Henri II et d'un foulard rouge de cow-boy, s'est élancé romanesquement en criant : « Arrière !

arrière !... » On le conspue, on l'accuse d'avoir « tout gâté ».

– Il est curieux, remarque Bertrand avec une ironie écrasante et rêveuse, de constater combien le fantastique peut exalter l'esprit d'un adolescent, pourtant grandi dans les collèges anglais...

– Eh ! mon povre, ajoute ma Limousine de fille, on ne dit pas : « Arrière, arrière ! » on dit : « Je te vas foutre un bon coup !... »

MARDI. – Nous avons guetté cette nuit, les deux garçons et moi, laissant Bel-Gazou endormie. La lune en son plein blanchissait d'un bout à l'autre une longue piste de lumière où les rats avaient laissé quelques épis de maïs rongés. Nous nous tînmes dans l'obscurité derrière la porte à demi-ouverte, et nous nous ennuyâmes pendant une bonne demi-heure en regardant le chemin de lune bouger, devenir oblique, lécher le bas des charpentes entrecroisées... Renaud me toucha le bras : on marchait au bout du grenier. Un rat détala et grimpa le long d'une poutre, suivi de sa queue de serpent. Le pas, solennel, approchait, et je serrai dans mes bras le cou des deux garçons.

Il approchait, lent, avec un son sourd, bien martelé, répercuté par les planchers anciens. Il entra, au bout d'un temps qui nous parut interminable, dans le chemin éclairé. Il était presque blanc, gigantesque : le plus grand nocturne que j'aie vue, un grand-duc plus haut qu'un chien de chasse. Il marchait emphatiquement, en soulevant ses pieds noyés de plume, ses pieds durs d'oiseau qui rendaient le son d'un pas humain. Le haut de ses ailes lui dessinait des épaules d'homme, et deux petites cornes de plumes, qu'il couchait ou relevait, tremblaient comme des graminées au souffle d'air de la lucarne. Il s'arrêta, se rengorgea tête en arrière, et toute la plume de son visage magnifique enfla autour d'un bec fin et de deux lacs d'or où se baigna la lune. Il fit volte-face, montra son dos tavelé de blanc et de jaune très clair. Il devait être âgé, solitaire et puissant. Il reprit sa marche de parade et l'interrompit pour une sorte de danse guerrière, des coups de tête à droite, à gauche, des demi-voltes féroces qui menaçaient sans doute le rat évadé. Il crut un moment sentir sa proie et bouscula un squelette de fauteuil comme il eût fait d'une brindille morte. Il sauta de fureur, retomba, râpa le plancher de sa queue étalée. Il avait des manières de maître, une majesté d'enchanteur...

Il devina sans doute notre présence, car il se tourna vers nous d'un air outragé. Sans hâte, il gagna la lucarne, ouvrit à demi des ailes d'ange, fit entendre une sorte de roúcoulement très bas, une courte incantation magique, s'appuya sur l'air et fondit dans la nuit, dont il prit la couleur de neige et d'argent.

JEUDI. – Le cadet des garçons, à son pupitre, écrit une longue relation de voyage. Titre : *Mes chasses au grand-duc dans l'Afrique australe.* L'aîné a oublié sur ma table de travail un début de « Stances » :

Battement de la nuit, pesante vision,
De l'ombre en la clarté, grise apparition...

Tout est normal.

PRINTEMPS PASSÉ

LE bec d'un sécateur claque au long des allées de rosiers. Un autre lui répond, dans le verger. Il y aura tout à l'heure sous la roseraie une jonchée de surgeons tendres, rouges d'aurore au sommet, verts et juteux à la base. Dans le verger, les raides baguettes d'abricotier, sacrifiées, brûleront, une heure encore, leur petite flamme de fleur avant de mourir, et les abeilles n'en laisseront rien perdre...

La colline fume de pruniers blancs, chacun d'eux immatériel et pommelé comme une nue ronde. A cinq heures et demie du matin, sous le rayon horizontal et la rosée, le blé jeune est d'un bleu incontestable, et rouge la terre ferrugineuse, et rose de cuivre les pruniers blancs. Ce n'est qu'un moment, un féerique mensonge de lumière, qui passe en même temps que la première heure du jour. Tout croît avec une hâte divine. La moindre créature végétale darde son plus grand effort vertical. La pivoine, sanguine en son premier mois, pousse d'un tel jet que ses hampes, ses feuilles à peine dépliées traversent, emportent et suspendent dans l'air leur suprême croûte de terre comme un toit crevé.

Les paysans hochent la tête : « Avril nous fera bien des surprises... » Ils penchent des fronts de sages sur cette folie, cette imprudence annuelle de la fleur et de la feuille. Ils vieillissent, accrochés à la course d'une terrible pupille que leur expérience n'instruit pas. Le vallon cultivé, grillagé encore d'eaux parallèles, hisse ses sillons verts au-dessus de l'inondation. Rien n'arrêtera plus l'asperge, qui a commencé son ascension de taupe, ni la torche de l'iris violet. La furieuse évasion entraîne l'oiseau, le lézard, l'insecte. Les verdiers et les chardonnerets, les passereaux et les pinsons se comportent au matin comme une basse-cour qu'on a gorgée de grain trempé dans l'eau-de-vie. Des danses de parade, des cris exagérés, des combats pour rire lient et délient sous nos yeux, presque sous nos mains, et sur la même pierre chaude, compagnies d'oiseaux et couples de lézards gris, et lorsque les enfants, enivrés, courent sans motif, la ronde des éphémères se soulève et les couronne...

Tout s'élance, et je demeure. Déjà ne ressens-je pas plus de plaisir à comparer le printemps à ce qu'il fut qu'à l'accueillir ? Torpeur bienheureuse, mais trop consciente de son poids. Extase sincère, involontaire mais manifestée à quoi ? « Oh ! ces pâquettes jaunes !... Oh ! les saponaires ! et la corne des arums qui se montre... » Mais la pâquette, cette primevère sauvage, est une fleur pauvre, et la saponaire humide, d'un mauve hésitant, que vaut-elle auprès d'un ardent pêcher ? Elle vaut par le ruisseau qui l'abreuvait, entre ma dixième et ma quinzième année. La primevère maigre, toute en tige, à corolle rudimentaire, tient encore, par une radicelle fragile, au pré où je cueillais des centaines de primevères pour les « àchevaler » sur une ficelle et les lier ensuite en balles rondes, en frais projectiles qui frappaient la joue comme d'un rude baiser mouillé...

Je me garde de cueillir et de presser, en balle verdâtre, la pâquette d'aujourd'hui. Je sais ce que je risque à l'essayer. Pauvre charme agreste, à demi évaporé, je ne puis même te léguer à un autre moi-même... « Tu vois, Bel-Gazou, comme ça, et comme ça, à cheval sur le fil, et puis on tire... – Ah ! oui, dit Bel-Gazou. Mais ça ne rebondit pas, j'aime mieux ma balle en caoutchouc... »

Les sécateurs claquent du bec dans les jardins. Enfermez-moi dans une chambre obscure, ce bruit-là y porte quand même le soleil d'avril, piquant à la peau, traître comme un vin sans bouquet. L'odeur d'abeille de l'abricotier taillé entre avec lui, et une certaine angoisse, l'inquiétude d'une de ces petites maladies d'avant l'adolescence, qui couvent, traînent un peu, diminuent, guérissent un matin, reviennent un soir... J'avais dix ans, onze ans, mais en compagnie de ma nourrice, cuisinière à la maison, je me plaisais encore à des exigences de nourrisson. Grande fille dans la salle à manger, je courais à la cuisine pour lécher le vinaigre sur les feuilles de salade, dans l'assiette de Mélie, chienne fidèle, esclave blonde et blanche. C'est par un matin d'avril que je l'appelai :

— Viens, Mélie, ramasser les « tailles » de l'abricotier, Milien est après les espaliers...

Elle me suivit, et la jeune femme de chambre, Marie-la-Rose, la bien nommée, vint aussi, sans que je l'invitasse. Milien, l'homme de journée, achevait sa besogne, beau gars sournois, pas pressé, silencieux...

— Mélie, tends ton tablier, que j'y mette les tailles...

A genoux, je ramassais les fagotins d'abricotiers, étoilés de fleurs. Comme par jeu, Mélie me fit « hou ! » et me jeta son tablier sur la tête, m'ensacha, me roula tendrement. Je riais, je me faisais petite et sotte, avec bonheur. Mais l'air me manqua, et je surgis si brusquement que Milien et Marie-la-Rose, qui s'embrassaient, n'eurent pas le temps de se séparer, ni Mélie de me cacher sa figure de complice...

Claquement des sécateurs, sec dialogue d'oiseaux à bec dur... Ils parlent d'éclosion, de soleil précoce, de brûlure au front, d'ombre froide, de répugnance qui s'ignore, de confiance enfantine qu'on trompa, de suspicion, de chagrin rêveur...

LA COUSEUSE

— VOTRE fille a neuf ans, m'a dit une amie, et elle ne sait pas coudre ? Il faut qu'elle apprenne à coudre. Et par mauvais temps il vaut mieux, pour une enfant de cet âge, un ouvrage de couture qu'un livre romanesque.

— Neuf ans ? et elle ne coud pas ? m'a dit une autre amie. A huit ans, ma fille me brodait ce napperon, tenez... Oh ! ce n'est pas du travail fin, mais c'est gentil tout de même. Maintenant, ma fille se taille elle-même ses combinaisons... Ah ! c'est que je n'aime pas, chez moi, qu'on raccommode les trous avec des épingles !

J'ai déversé docilement toute cette sagesse domestique sur Bel-Gazou :

— Tu as neuf ans, et tu ne sais pas coudre ? Il faut apprendre à coudre, etc.

J'ai même ajouté, au mépris de la vérité :

— A huit ans, je me souviens que j'ai brodé un napperon... Oh ! ce n'était pas du travail fin, évidemment... Et puis, par le mauvais temps...

Elle a donc appris à coudre. Et bien qu'elle ressemble davantage — une jambe nue et tannée pliée sous elle, le torse à l'aise dans son maillot de bain — à un mousse ravaudant un filet qu'à une petite fille appliquée, elle n'y met pas de répugnance garçonnière. Ses mains, passées au jus de pipe par le soleil et la mer, ourlent en dépit du bon sens ; le simple « point devant », par leurs soins, rappelle le pointillé zigzaguant d'une carte routière, mais elle boucle avec élégance le feston, et juge sévèrement la broderie d'autrui.

Elle coud, et me fait gentiment compagnie, si la pluie hache l'horizon marin. Elle coud aussi à l'heure torride où les fusains tassent sous eux une boule ronde d'ombre. Il arrive aussi qu'un quart d'heure avant le dîner, noire dans sa robe blanche – « Bel-Gazou ! tes mains et ta robe sont propres, ne l'oublie pas ! » – elle s'asseye, cérémonieuse, un carré d'étoffe aux doigts... Alors mes amies l'applaudissent :

– Regarde-la ! Est-elle sage ! A la bonne heure ! Ta maman doit être contente !

Sa maman ne dit rien – il faut maîtriser les grandes joies. Mais faut-il les simuler ? J'écrirai la vérité : je n'aime pas beaucoup que ma fille couse.

Quand elle lit, elle revient, toute égarée et le feu aux joues, de l'île au coffre plein de pierreries, du noir château où l'on opprime un enfant blond et orphelin. Elle s'imprègne d'un poison éprouvé, traditionnel, dont les effets sont dès longtemps connus. Si elle dessine ou colorie des images, une chanson à demi parlée sort d'elle, ininterrompue comme la voix d'abeilles qu'exhale le troène. Bourdonnement de mouche au travail, valse lente du peintre en bâtiments, refrain de la fileuse au rouet... Mais Bel-Gazou est muette quand elle coud. Muette longuement, et la bouche fermée, cachant – lames à petites dents de scie logées au cœur humide d'un fruit – les incisives larges, toutes neuves. Elle se tait, elle... Écrivons donc le mot qui me fait peur : elle pense.

Mal nouveau ? Fléau que je n'avais point prévu ? Assise dans une combe d'herbe, ou à demi enterrée dans le sable chaud et le regard perdu sur la mer, je sais bien qu'elle pense. Elle pense « à gros bouillons » lorsqu'elle écoute, avec une fausse discrétion bien apprise, des répliques jetées imprudemment en pont par-dessus sa tête. Mais il semble qu'avec le jeu de l'aiguille elle ait justement découvert le moyen de descendre, point à point, piqûre à piqûre, un chemin de risques et de tentations. Silence... Le bras armé du dard d'acier va et vient... Rien n'arrête la petite exploratrice effrénée. A quel moment faut-il que je lance le « hep ! » qui coupe brutalement l'élan ? Ah ! ces jeunes filles brodeuses d'autrefois, blotties dans l'ample jupe de leur mère, sur un dur petit tabouret ! L'autorité maternelle les liait là des années, des années, elles ne se levaient que pour changer l'écheveau de soie, ou fuir avec un passant... Philomène de Watteville et son canevas sur lequel elle dessinait la perte et le désespoir d'Albert Savarus...

– A quoi penses-tu, Bel-Gazou ?

– A rien, maman. Je compte mes points.

Silence. L'aiguille pique. Un gros point de chaînette se traîne à sa suite, tout de travers. Silence...

– Maman ?

– Chérie ?

– Il n'y a que quand on est marié qu'un homme peut tenir son bras autour d'une dame ?

– Oui... Non... Ça dépend. S'ils sont très camarades, s'ils se connaissent beaucoup, tu comprends... Je te le répète : ça dépend. Pourquoi me demandes-tu cela ?

– Pour rien, maman.

Deux points, dix points de chaînette, difformes.

– Maman ! Mme X..., elle est mariée ?

– Elle l'a été. Elle est divorcée.

– Ah ! oui... et M. F..., il est marié ?

– Oui, voyons, tu le sais bien.

– Ah ! oui... Et ça suffit, qu'un sur deux soit marié ?

– Pour quoi faire ?

– Pour dépendre.

– On ne dit pas « pour dépendre ».

– Mais tu viens de le dire, que ça dépendait ?

– Qu'est-ce que ça peut bien te faire ? Ça t'intéresse ?

– Non, maman.

Je n'insiste pas. Je me sens pauvre, empruntée, mécontente de moi. Il fallait répondre autrement : je n'ai rien trouvé.

Bel-Gazou n'insiste pas non plus, elle coud. Elle coud et superpose, à son œuvre qu'elle néglige, des images, des associations de noms et de personnes, tous les résultats d'une patiente observation. Un peu plus tard viendront d'autres curiosités, d'autres questions, mais surtout d'autres silences. Plût à Dieu que Bel-Gazou fût l'enfant éblouie et candide, qui interroge crûment, les yeux grands ouverts !... Mais elle est trop près de la vérité, et trop naturelle pour ne pas connaître, de naissance, que toute la nature hésite devant l'instinct le plus majestueux et le plus trouble, et qu'il convient de trembler, de se taire et de mentir lorsqu'on approche de lui.

LA NOISETTE CREUSE

TROIS coquillages en forme de pétales, blancs, nacrés et transparents comme la neige rosée qui choit sous les pommiers ; deux patelles, pareilles à des chapeaux tonkinois, à rayures convergentes, noires sur jaune ; une sorte de pomme de terre difforme et cartilagineuse, inanimée, mais qui cache une vie mystérieuse et darde, si on la presse, un jet cristallin d'eau salée ; — un couteau cassé, un bout de crayon, une bague de perles bleues et un cahier de décalcomanies détrempé par l'eau de mer ; un petit mouchoir rose très sale... C'est tout. Bel-Gazou a fini l'inventaire de sa poche gauche. Elle admire les pétales de nacre, puis les laisse tomber et les écrase sous son espadrille. La pomme de terre hydraulique, les patelles et les décalcomanies ne méritent pas un meilleur sort. Bel-Gazou conservera seulement le couteau, le crayon et le fil de perles qui sont, avec le mouchoir, d'un usage constant.

La poche droite contient des ramilles de ce calcaire rosâtre que ses parents nomment, Dieu sait pourquoi, lithotamnium, quand il est si simple de l'appeler corail. « Mais ce n'est pas du corail, Bel-Gazou. » Pas du corail ? Et qu'en savent-ils, ces malheureux ? Des ramilles, donc, de lithotamnium, et une noisette creuse, percée d'un trou par l'évasion du ver. Il n'y a pas, à trois kilomètres sur la côte, un seul noisetier. La noisette creuse, trouvée sur la plage, est venue sur une vague, d'où ? « De l'autre côté du monde », affirme Bel-Gazou. « Et elle est ancienne, vous savez. Ça se voit au bois qui est rare. C'est une noisette en bois de rose comme le petit bureau de maman. »

La noisette collée à l'oreille, elle écoute. « Ça chante. Ça dit : hû-û-û... »

Elle écoute, la bouche entrouverte, les sourcils relevés touchant sa frange de cheveux plats. Ainsi immobile, et comme désaffectée par l'attention, elle n'a presque plus d'âge. Elle regarde sans le voir l'horizon familier de ses vacances. D'une niche de chaume ruiné, abandonnée par la douane, Bel-Gazou embrasse, à droite, la Pointe-du-Nez, jaune de lichens, bardée de violet par la plinthe de moules que découvrent les basses marées ; au milieu, un coin de mer, d'un bleu de métal neuf, enfoncé comme un fer de hache dans les terres. A gauche, une haie de troènes désordonnés en pleine floraison, dont l'odeur d'amande, trop douce, charge le vent, et que défleurissent les petites pattes frénétiques des abeilles. Le pré de mer, sec, monte jusqu'à la hutte et sa déclivité masque la plage où ses parents et amis pâment et cuisent sur le sable. Tout à l'heure, la famille entière demandera à Bel-Gazou : « Mais où étais-tu ? Mais pourquoi ne venais-tu pas sur la plage ? » Bel-Gazou n'entend rien à ce fanatisme des criques. Pourquoi la plage, et toujours, et rien que la plage ? La hutte ne le cède en rien à ce sable insipide, le bosquet humide existe, et l'eau troublée du lavoir, et le champ de luzerne non moins que l'ombre du figuier. Les grandes personnes sont ainsi faites qu'on devrait passer la vie à leur tout expliquer — en vain. Ainsi de la noisette creuse : « Qu'est-ce que tu fais de cette vieille noisette ? » Mieux vaut se taire, et cacher, tantôt dans une poche, tantôt dans un vase vide ou dans le nœud d'un mouchoir, la noisette qu'un instant, impossible à prévoir, dépouillera de toutes ses vertus, mais qui pour l'heure chante, contre l'oreille de Bel-Gazou, ce chant qui la tient immobile et comme enracinée...

— Je vois ! Je vois la chanson ! Elle est aussi fine qu'un cheveu, elle est aussi fine qu'une herbe !...

L'an prochain, Bel-Gazou aura plus de neuf ans. Elle ne proclamera plus, inspirée, ces vérités qui confondent ses éducateurs. Chaque jour l'éloigne de sa première vie pleine, sagace, à toute heure défiante, et qui dédaigne de si haut l'expérience, les bons avis, la routinière sagesse. L'an prochain, elle reviendra au sable qui la dore, au beurre salé et au cidre mousseux. Elle retrouvera son chaume dépenaillé, et ses pieds citadins chausseront ici leur semelle de corne naturelle, lentement épaissie sur le silex et les sillons tondus. Mais peut-être ne retrouvera-t-elle pas sa subtilité d'enfant, et la supériorité de ses sens qui savent goûter un parfum sur la langue, palper une couleur et voir — « fine comme un cheveu, fine comme une herbe » — la ligne d'un chant imaginaire...

Table

ŒUVRES DE COLETTE

La Maison de Claudine.
Les Vrilles de la Vigne.
Le Voyage égoïste.
Sido.
Ces plaisirs...
Prisons et Paradis.
La Jumelle noire (4 volumes).
Duo, roman.
Mes apprentissages.
Le Toutounier, roman.
Bella-Vista.
Gigi.
Le Fanal bleu.
L'Ingénue libertine, roman.
Douze dialogues de bêtes.
La Retraite sentimentale.
La Vagabonde, roman.
L'Envers du music-hall.
La Chambre éclairée.
Chéri, roman.
Prrou, Poucette et quelques autres.
L'Entrave, roman.
Les Heures longues.
Celle qui en revient.
Rêverie de Nouvel An.
Mitsou, ou comment l'esprit vient aux filles, roman.
La Paix chez les bêtes.
Aventures quotidiennes.
Dans la foule.
La Femme cachée.
Le Blé en herbe, roman.
La Naissance du jour.
La Fin de Chéri, roman.
La Chatte, roman.
Discours de réception.
Chambre d'hôtel.
Journal à rebours.
Julie de Carneilhan.
Le Képi.
Mes cahiers.
Trois... Six... Neuf...
Broderie ancienne.
Nudité.
Paris de ma fenêtre.
L'Étoile Vesper.
Belles saisons.
Pour un herbier.
Trait pour trait.
La Seconde.

En « collaboration » avec M. Willy.

Claudine à l'école.
Claudine à Paris.
Claudine en ménage.
Claudine s'en va.

THÉÂTRE

En collaboration avec M. Léopold Marchand.

La Vagabonde, pièce en 4 actes.
Chéri, pièce en 4 actes.

Colette dans Le Livre de Poche

L'Ingénue libertine n° 11

Tout a été arrangé pour que Minne ait une vie des plus douillettes. Mais Minne rêve d'autre chose, elle veut connaître ce qu'elle appelle l'Aventure.

Mariée, déçue, humiliée mais maintenant renseignée et ayant compris que l'Aventure, c'est l'Amour, Minne va alors chercher avec détermination l'homme qui lui donnera ce bonheur merveilleux dont toutes les femmes qu'elle connaît parlent et tous les livres aussi.

Gigi n° 89

Gigi, un des rares romans d'amour heureux de Colette, donne son titre à cet ouvrage qui comporte trois autres nouvelles : « L'Enfant malade », « La Dame du photographe », « Flore et Pomone », dont la richesse du style, d'un art inimitable, enchante.

La Chatte n° 95

Bien avant que Camille, la fiancée d'Alain, découvre une rivale inattendue en Saha, la chatte du jeune homme, celui-ci a déjà opposé secrètement l'élégance du félin à la présence un peu ordinaire de la future épouse. Le mariage ne fait que confirmer chez Alain le léger écœurement qu'il éprouve en présence de l'exubérante Camille. L'arrivée de Saha révèle à Camille un monde d'affection et de tendresse dont elle se sent exclue.

La Vagabonde n° 283

Trompée, humiliée, malheureuse, Renée, au bout de huit ans de mariage, a enfin trouvé la force de divorcer. Depuis trois ans, elle gagne sa vie au music-hall comme mime, danseuse, voire comédienne à l'occasion. Au hasard des engagements, elle est devenue « la vagabonde », complètement libre mais si seule ! C'est alors qu'un homme jeune et riche, Maxime Dufferein-Chautel, très épris, réussit à conquérir Renée et lui propose de l'épouser.

Chéri n° 307

A mesure qu'elle éprouve le manque de conviction croissant de Chéri, son jeune amant, Léa ressent, avec un émerveillement désenchanté et la lucidité de l'amertume, les moindres effets d'une passion qui sera la dernière. Pourtant il suffira à Chéri d'épouser la jeune et tendre Edmée pour comprendre que la rupture avec Léa ne va pas sans regrets.

Sido suivi de *Les Vrilles de la vigne* n° 373

Dans la première partie du livre, Colette fait revivre Sido, sa mère tant aimée. Elle nous parle aussi de son père, « le capitaine », second mari de Sido, de sa sœur aînée, « l'étrangère », et de ses deux frères, « les sauvages », de l'amour qui unissait ses parents et de son enfance heureuse.

Dans la seconde partie, des confidences, des anecdotes, des dialogues sur tous les thèmes chers à Colette : l'amour, l'indépendance, la solitude, les souvenirs, les bêtes, la nature composent *Les Vrilles de la vigne.*

Mitsou n° 630

Un mois de mai de la guerre. Mitsou, petite danseuse de l'Empyrée-Montmartre, s'apprête à entrer en scène quand surgit dans sa loge son amie Petite-Chose, accompagnée de deux jeunes sous-lieutenants, un kaki et un bleu horizon. Mitsou se montre froide, réservée, ce qui déconcerte le beau Lieutenant Bleu étant donné l'endroit, la tenue légère de Mitsou et aussi l'arrivée de l'Homme Bien, un quinquagénaire qui entretient Mitsou. Mais elle est bien jolie et le Lieutenant Bleu, avant de retourner au front, lui adresse une lettre. Une correspondance s'établit. Chacune des lettres les rapproche l'un de l'autre et ils finissent par oublier tout ce qui les sépare, jusqu'au jour où le Lieutenant Bleu arrive en permission...

La Maison de Claudine n° 763

Colette fait revivre avec un rare bonheur, dans ce livre de souvenirs, son enfance heureuse, sa famille et surtout sa mère, la merveilleuse Sido tant aimée. Les bêtes elles aussi, dont Colette parle mieux que personne, font partie intégrante de cette maison qui devient, grâce au génie de l'auteur, une maison inoubliable.

Le Képi n° 2388

Colette avait vingt-deux ans quand, par l'entremise d'un ami, elle fit la connaissance de l'héroïne du *Képi* qui avait le double de son âge, Marco. Par jeu, les trois amis répondirent à un jeune lieutenant qui cherchait une correspondante. Par jeu encore, ils expédièrent la meilleure lettre, celle de Marco. Ainsi a commencé cette histoire d'amour qui bute sur un képi.

C'est aussi un souvenir de ce temps d'arrière-saison que Colette relate dans le récit intitulé *Le Tendron*. Les rôles, cette fois, sont inversés. Et c'est l'homme mûr qui se pique le cœur au fruit vert trouvé dans la splendeur de la Franche-Comté.

Souvenir toujours, mais rattaché à sa propre jeunesse, que l'aventure horrifique de *La Cire verte*. Et *Armande*, conte heureux d'amours timides.

Le Pur et l'Impur n° 6479

Colette, dans sa jeunesse, a fréquenté ces fumeries d'opium dont l'adresse se transmet de bouche à oreille entre initiés, mais en gardant ses distances vis-à-vis de la drogue donneuse d'oubli ; ce sont surtout les personnages qu'elle y a rencontrés qui l'ont captivée. Que cache cette énigmatique Charlotte ? Quel sentiment réel anime ce don juan haïsseur de ses conquêtes ? Quelle vérité se cache dans le mensonge des travestis qu'arborent l'un et l'autre sexe ?... Ces chercheurs de plaisirs interdits, de ceux que l'on dit impurs : plaisir factice de l'opium et de l'alcool, plaisir clandestin des amours admises ou défendues... Colette nous les évoque magistralement dans *Le Pur et l'Impur* dont elle a dit : « On s'apercevra peut-être un jour que c'est là mon meilleur livre. »

Le Fanal bleu n° 4221

Le Fanal bleu, dernier ouvrage de Colette, nous entraîne dans un voyage immobile de Paris à Genève en passant par Grasse et les vignobles du Beaujolais. Souvenirs, scènes entre amis : Jean Cocteau, Marguerite Moreno, Jean Marais..., anecdotes et réflexions s'enchaînent sous l'œil vigilant d'une

« Chatte » blottie dans un intérieur feutré, qui pose sur le monde un regard où la maturité pourpre de l'automne s'enrichit des pastels de l'enfance.

Tout au long de sa vie, Colette n'a cessé d'amasser une abondante moisson d'images. Elle en donne dans *Le Fanal bleu* une gerbe magnifique, car le temps ni la maladie ne peuvent prévaloir contre la vitalité et la saveur de son talent.

L'Entrave n° 6568

L'amour, n'est-ce qu'un écueil — un bel écueil — sur une route tranquille ? En ce cas, nul besoin de l'éviter. Il suffit de le franchir. C'est ce que croit Renée Néré avant de rencontrer Jean. Et Jean arrive. Jean en colère, ou Jean dédaigneux et persifleur, ou Jean sournois, un peu cauteleux, qu'importe, pourvu que ce soit Jean ! « Merveille de la présence, sécurité inexplicable de tous les sens », mais également entrave. Renée va-t-elle se laisser prendre par cet amour qui la jette vers Jean et où elle tremble de se briser ? Elle fuit, elle se débat, elle se tait, elle se ment. Mais elle sera vaincue. Renée, l'ancienne Renée, est morte. La nouvelle, désormais, n'existera qu'à travers Jean, et amarrée à lui.

Prisons et Paradis n° 3499

Les textes qui composent *Prisons et Paradis* s'articulent autour de trois éléments essentiels de la vie de Colette : les bêtes, libres ou enfermées ; le Midi de la France, que Colette a découvert tardivement et où elle aménage avec soin sa maison « La Treille muscate » et son jardin — « Ô lumière ! Le mur, au voisinage de tant de feux, rougit comme une joue. Je sais maintenant ce qu'est le jardin provençal : c'est le jardin qui n'a besoin, pour surpasser tous les autres, que de fleurir en Provence » ; enfin l'Afrique du Nord, dans des récits où elle exalte la beauté des êtres et des paysages

On trouve en outre dans ce recueil diverses chroniques ainsi que des portraits d'amis, de connaissances ou de célébrités : Mistinguett, Coco Chanel, Landru, etc.

Le Voyage égoïste suivi de *Quatre-Saisons* — n° 3393

La pluie, la chaleur, l'absence, la fièvre sont le point de départ des textes écrits entre 1912 et 1913 et regroupés sous le titre *Le Voyage égoïste*. Au dimanche de pluie citadin qui ferait pleurer si on l'osait, Colette oppose ceux de son enfance, fleurant le chocolat, dans la vieille maison parée des magies de son jardin, du fenil, du chat blanc et de l'araignée qui voile de dentelle les miroirs. Sous le titre *Quatre-Saisons* sont rassemblées des pages écrites en 1925. Il faut garder en tête cette date pour le croire tant elles restent actuelles, ces chroniques moqueuses sur la mode ridicule « pour femmes debout », sur les dessous et les fards, les perversions du snobisme, sur les « oiseaux de garage » que sont les jeunes générations, sur les jardins prisonniers d'un Paris victime des constructeurs avides...

Bella-Vista — n° 6684

Bella-Vista regroupe quatre nouvelles. Suivant une sorte d'itinéraire personnel dans l'espace et le temps, Colette y dépeint des lieux familiers : le Midi de la France dans « Bella-Vista » ; l'univers du music-hall parisien — auquel elle appartint de 1906 à 1912 — avec « Gribiche » ; l'Afrique du Nord, où elle fit de nombreux séjours, dans « Le Rendez-vous » ; enfin, sa Bourgogne natale dans « Le Sieur Binard ».

L'Etoile Vesper n° 6715

C'est une Colette mélancolique que nous retrouvons dans *L'Etoile Vesper*, publié la première fois en 1946. L'auteur, qui ne quitte plus guère son appartement du Palais-Royal, évoque des souvenirs du temps de guerre, médite sur sa condition d'invalide et ses nouveaux rapports avec le monde, « converse » encore et toujours avec les êtres qu'elle a aimés — passionnément ou tendrement : Sido, Missy (Mathilde de Morny), Polaire, Henry de Jouvenel et le « meilleur ami », son troisième époux, Maurice Goudeket.

Chambre d'hôtel suivi de *La Lune de pluie* n° 6834

Il faut se méfier, dit Colette, des gens insignifiants qui se collent à vous, tel l'anatife, ce parasite des mers, et qui servent souvent de tremplin pour vous précipiter malgré vous dans l'aventure.

Parce que Lucette d'Orgeville renonce à six semaines de paradis avec son bien-aimé Luigi en échange d'une poignée de diamants, Colette se retrouvera à X...-les-Bains, locataire horrifiée d'un chalet hideux et, par voie de conséquence, ayant fui cette laideur, pensionnaire de l'hôtel du lieu. Ainsi entrent dans sa vie bourgeoise Mme Haume et son mari Gérard, le protagoniste de « Chambre d'hôtel ».

Souvenir encore, mais d'une rencontre plus étrange, « La Lune de pluie » introduit dans le quotidien les mirages mortels de la sorcellerie.

Duo n° 13789

Au cours d'un séjour à la campagne, Michel découvre une liaison entre sa femme Alice, qu'il adore, et le trop séduisant Ambrogio. Liaison ancienne et semble-t-il terminée ; mais le doute et la jalousie, quand ils s'emparent d'une âme, peuvent-ils lâcher prise à si bon compte ? Face à l'homme partagé entre la colère et le chagrin, Alice tente de conjurer la crise. Comment faire comprendre à Michel ce qui a de l'importance et ce qui n'en a pas, lui faire sentir les nuances de l'émotion et de la sensualité féminines ?

Habile à ménager des silences aussi éloquents que les mots, à éveiller le parfum d'une fleur ou la lumière d'un instant, la romancière de *Sido* et de *L'Ingénue libertine* nous dépeint une femme à la fois espiègle et grave, aimante, mais qui jusqu'au bout refusera de renoncer à elle-même.

Les Vrilles de la vigne n° 13801

Autrefois, le rossignol ne chantait pas la nuit. C'est pour avoir manqué périr, prisonnier de la vigne enroulée autour de lui tandis qu'il dormait, qu'il écoute désormais sa voix afin de rester en éveil...

Lorsqu'en 1908 Colette publie ce recueil de textes brefs — dialogues de bêtes, évocations de la nature, méditations sur l'amour, la solitude, le passage du temps... —, elle s'est séparée de Willy, son premier mari, définitivement résolue à imposer son indépendance d'artiste et de femme. « Je ne connais plus le somme heureux, mais je ne crains plus les vrilles de la vigne », dit-elle. Et c'est bien en effet la voix libre et singulière d'un écrivain qui se fait entendre dans ces pages bouleversantes de poésie, de tendresse, de hardiesse aussi, où la romancière de *Sido* et de

La Vagabonde a réuni en bouquet les thèmes de toute son œuvre.

La Ronde des bêtes n° 13994

Entrer avec Colette dans « la ronde des bêtes », c'est lier connaissance avec Pati-Pati, la merveille des chiennes, l'impériale Shâh, Pitiriki, l'écureuil facétieux, Bâ-Tou, la panthère du Tchad, et se familiariser avec bien d'autres présences animales, insolites parfois...

Celle qui proclamait : « Je ne puis rester longtemps sans parler des bêtes » nous a légué au fil de son œuvre un bestiaire aux inépuisables trésors. Le présent florilège réunit des textes empruntés à divers recueils qui s'échelonnent de 1916 à 1942. Riches en portraits inimitables de tout ce qui porte pelage, plumage, voire écailles, exempts de toute sentimentalité bêtifiante, ils témoignent de ce don de sympathie qui, dès l'enfance, permit à Colette une communion étroite avec le règne animal, et traduisent aussi sa nostalgie d'un monde originel où l'homme n'aurait pas encore rompu le lien qui l'unissait à l'univers sensible.

Colette nous offre ainsi une vision des rapports de l'homme et du monde que notre époque aurait sans doute intérêt à méditer.

La Paix chez les bêtes n° 13978

« J'ai rassemblé des bêtes dans ce livre, comme dans un enclos où je veux qu'il n'y ait pas la guerre... » Avec ces saynètes animalières publiées en 1916, au plus fort du massacre, la romancière de *Sido* et de *La Vagabonde* trouve une fois de plus un recours, comme elle le fait face aux désarrois du sentiment, dans la proximité de la nature et de la vie animale. Par la grâce de l'écrivain, les chiens et les chats qui vivent dans ces pages sont merveilleusement eux-mêmes, saisis avec un extraordinaire bonheur d'expression, en même temps qu'ils apparaissent comme des êtres doués de raison et de parole. Ils délivrent une vérité parfois cruelle, certes, mais innocente — subtile ambiguïté qui est un des thèmes les plus profonds et les plus continus de toute l'œuvre de Colette.

Gribiche n° 14503

Avec *Gribiche,* écrit en 1937, Colette explore une nouvelle fois l'« envers du music-hall » à la Belle Epoque et se souvient de ces années folles où, jeune faune à peine vêtue, elle attirait le Tout-Paris au Moulin-Rouge ou au Théâtre des Mathurins. Mais ce n'est pas de chronique mondaine qu'il s'agit dans *Gribiche,* bien au contraire. L'écrivain désormais consacré y rend hommage à la jeunesse éphémère et le plus souvent sacrifiée, à la beauté multiple et pathétique de ces artistes anonymes dont l'existence se consume en quelques saisons dans l'atmosphère vertigineuse et surchauffée des coulisses. Tandis que le public se grise de sons, de mouvements et de lumières, l'envers du décor peut dissimuler d'authentiques tragédies. L'histoire de Gribiche en est une. Rien ne manque au rituel : ni la promesse du bonheur, ni la malice du destin, ni le sang du sacrifice.

Claudine à l'école
(en collaboration avec Willy) n° 193

Avec Claudine, quinze ans, intelligente, séduisante, très avertie, ses camarades, la flamboyante directrice de l'école et sa jolie adjointe, les deux instituteurs des garçons et quelques autres, nous allons vivre une année scolaire peu banale...

Rempli de vie et de sensualité, *Claudine à l'école* est le premier roman de Colette.

Claudine à Paris n° 213

Son original de père ayant brusquement décidé de s'installer à Paris, Claudine se retrouve rue Jacob dans un appartement sombre, entre deux cours. Refusant obstinément de sortir, errant d'une chambre à l'autre, la gorge rétrécie et l'appétit absent, elle finit par tomber gravement malade. Deux mois passent.

Claudine, sans oublier Montigny et sa chère école, reprend petit à petit goût à la vie. Elle fait la connaissance de son ravissant neveu Marcel qui a dix-sept ans comme elle et ses confidences sont bien excitantes ! On la demande en mariage... et enfin elle découvre l'amour.

Rempli de vie et de sensualité, *Claudine à Paris* est la suite de *Claudine à l'école*, premier roman de Colette.

Claudine s'en va n° 238

Annie adore Alain, son mari. Elle est complètement sous sa domination et ne sait qu'obéir. Mais Alain part en voyage et Annie se retrouve seule, complètement épouvantée, bien décidée à appliquer à la lettre l'« Emploi du temps » que lui a fait son mari et qui comporte, entre autres :

« — Une seule visite à Renaud et Claudine, ménage réellement trop fantaisiste pour une jeune femme dont le mari voyage au loin.

— Voir et sortir souvent avec ma sœur Marthe car

sous des dehors un peu libres, elle a un grand bon sens et même du sens pratique. »

Avec Marthe, Annie ira dans une station thermale puis au Festival de Bayreuth, rencontrera toutes sortes de gens, apprendra et comprendra bien des choses et reverra souvent Claudine...

Peinture lucide et narquoise du milieu dans lequel vécut longtemps Colette, rempli de personnages très vivants, *Claudine s'en va* est servi par ce style dru, savoureux, qui est propre au grand écrivain.

Composition réalisée par JOUVE

Imprimé en France sur Presse Offset par

BRODARD & TAUPIN

GROUPE CPI

La Flèche (Sarthe).
N° d'imprimeur : 24985 – Dépôt légal Éditeur : 49644-10/2004
Édition 39
LIBRAIRIE GÉNÉRALE FRANÇAISE – 31, rue de Fleurus – 75278 Paris cedex 06.
ISBN : 2 - 253 - 00428 - 6

30/0763/0